Sete Noites com os Clássicos

VÓ,

FELIZ ANIVERSÁRIO

LEONARDO

COM 69 ANOS, ENSINA A DIRIGIR E ESTIMULA O TALENTO DOS NETOS.

PARABÉNS VÓ E MUITO OBRIGADO.

LEONARDO

Luiz Paulo Horta

Sete Noites com os Clássicos

Para entender os estilos musicais da Renascença ao Modernismo

segunda edição

Jorge Zahar Editor
Rio de Janeiro

Jorge Zahar Editor Ltda.
rua México 31 sobreloja
20031-144 Rio de Janeiro, RJ
tel.: (21) 240-0226 / fax: (21) 262-5123
e-mail: jze@zahar.com.br
site: www.zahar.com.br

Projeto gráfico: *Cálamo Produção Editorial*

Capa: *Carol Sá e Sérgio Campante*
Ilustração: *Beethoven presta homenagem a Haydn,*
numa récita da Criação

CIP-Brasil. Catalogação-na-fonte
Sindicato Nacional dos Editores de Livros, RJ.

Horta, Luiz Paulo
H811s Sete noites com os clássicos: para entender os estilos musicais da renascença
2.ed. ao modernismo / Luiz Paulo Horta. – 2.ed. – Rio de Janeiro: Jorge Zahar Ed., 2001

Inclui discografia
ISBN 85-7110-527-8

1. Música – História e crítica. 2. Música – Análise, apreciação. 3. Compositores – Biografia. 4. Música – Discografia. I. Título. II. Título: Para entender os estilos musicais da renascença ao modernsimo.

CDD – 780.43
01-1663 CDU – 781.973

Sumário

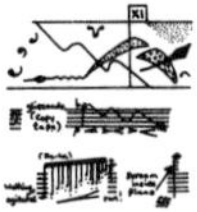

Abertura

Os estilos musicais são como seres vivos: em determinado momento começam a existir, a partir de algumas sementes. Crescem, atingem o apogeu, e depois são substituídos por outros, quando sua seiva começa a enfraquecer. Entender esses estilos ajuda bastante a conhecer e amar os grandes compositores e sua música. Mozart, por exemplo, teve a sorte de encontrar quase pronto o estilo clássico – em boa parte graças a Haydn. Por maior que fosse o seu gênio, é difícil pensar na sua obra sem fazer referência a esse estilo.

Neste livro, propomos uma viagem pelos sete grandes estilos da música clássica – começando com a Renascença e terminando no Modernismo. Se você quiser, pode fazer essa viagem em uma semana. Mas se levar uma semana em cada estilo, terá mais proveito – e mais prazer. Em cada capítulo, você encontrará uma descrição geral de um estilo musical; a análise de uma obra característica; a biografia do compositor que produziu essa obra; e, também, sugestões para audições complementares, referências a outras formas musicais que tenham marcado o período, além de uma cronologia com os fatos musicais mais significativos. Nem sempre o compositor escolhido será o maior gênio do estilo que ele representa, mas será sempre alguém que trouxe para esse estilo uma contribuição essencial. É o caso de Vivaldi, no Barroco, e de Haydn, no Classicismo. Beethoven merece um capítulo à parte, bem no meio dessa história – um caso único na história da música, fazendo a ligação entre o antigo e o moderno.

No final do livro, você encontrará uma discografia que é como um caminho confiável para a travessia desses continentes. Boa viagem! E que esta seja só a primeira de muitas viagens...

Renascença

(c.1450-c.1600)

Características

A Renascença foi um período que valorizou as formas nítidas e propôs um retorno aos ideais clássicos da Grécia e de Roma. A riqueza musical que ela exibe não se deve apenas ao "espírito novo" que, de algum modo, contaminou toda a atividade cultural do período, mas também a uma certa estabilização das estruturas políticas em países como a França e a Inglaterra – além da expansão da atividade econômica, inaugurado o ciclo dos Descobrimentos.

Na Inglaterra, com o fim da Guerra das Duas Rosas, Henrique VIII inaugurou os grandes dias da dinastia Tudor; sua filha Elizabeth transformará o país, pela primeira vez, em potência mundial. A música responde a essa glória temporal. Foi o período (o único) em que os ingleses lideraram a vida musical na Europa. Há uma riquíssima produção de madrigais – a canção profana a várias vozes

Frontispício de Parthenia, *dos virginalistas Byrd, Bull e Gibbons*

– encabeçada por Thomas Morley e Thomas Weelkes. Com William Byrd, Orlando Gibbons e John Bull, surge a primeira escola importante de música para teclado – chamada "dos virginalistas" porque escreviam para o virginal, um pequeno cravo de mesa (sem pés); e Byrd, em três missas primorosas, rivaliza com o próprio Palestrina, mestre indiscutível do período.

Mas a Europa do continente não estava menos ativa. Dançava-se furiosamente nas ruas e nas praças. Comerciantes e burgueses contratavam músicos para festejar dignamente esta ou aquela data. Os bailes nas cortes eram igualmente brilhantes. Dessas diversas formas de dança nasceu a suíte instrumental, que teria sobrevida gloriosa no período barroco, com seus vários movimentos: allemande, sarabanda, giga, bourrée.

Os italianos Carlo Gesualdo e Luca Marenzio escreviam madrigais tão belos quanto os de Morley. Orlando di Lasso ia ainda além – uma espécie de Brahms renascentista, cultivando todas as formas da polifonia vocal. Mas há um nome que se torna emblemático do período: o de Palestrina, com suas missas e motetos que levaram a polifonia vocal ao último estágio da perfeição.

Essa polifonia vinha do século anterior. Os grandes mestres flamengos – Johannes Ockeghem e Jacob Obrecht – já escreviam missas a 20, 30 e 40 vozes (voz, no caso, significa uma linha melódica independente), inspirados geralmente num tema unificador e usando a técnica da imitação. Essa arte vocal, num certo sentido, perdeu-se por sua própria complexidade. Na música de igreja, por exemplo (a mais importante da época), o texto ficava literalmente submerso pelas artes do contraponto: ninguém mais entendia o que se estava cantando.

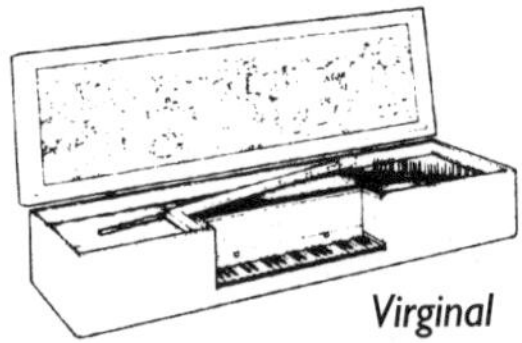

Virginal

Diz a lenda que o Concílio de Trento (1545-63), ansioso por dar uma resposta à Reforma protestante, em cujo ambiente os corais de Lutero emocionavam os fiéis, chegou a pensar em abolir a polifonia (isto é, a escrita a várias vozes) da liturgia católica, só não o fazendo porque Palestrina, com sua Missa *Papae Marcelli*, teria provado que era possível ser simples e transparente mesmo usando a polifonia.

Pode ser apenas uma lenda; mas é verdade que a arte de Palestrina impressionou fortemente a sua época: como o velho canto gregoriano, ela valorizava profundamente o texto (ouça-se, por exemplo, o exultante moteto *Hodie Christus natus est nobis*), além de temperar a sofisticação polifônica com uma escrita "vertical", em acordes, que soa moderna ainda hoje.

Toda essa estrutura ganhava vida através do princípio da imitação. Esta é a base ou a alma da música de Palestrina, e o elemento que, um pouco depois, os barrocos iam levar às últimas conseqüências. Imitação significa que as vozes vão entrando paulatinamente, criando um denso tecido musical, e que uma voz se refere ao que disse a anterior – como numa conversa de gente bem-educada. É isso o que dá unidade – e uma impressão de serenidade transcendente – à música de Palestrina.

A fuga, um dos pilares da música barroca, não é senão o aproveitamento mais elaborado desse princípio (chama-se fuga porque, através da imitação constante, tem-se a impressão de que uma voz está perseguindo a outra).

Exemplo musical:

Missa *Assumpta* est *Maria*

Esta missa, uma das mais famosas de Palestrina, permanece uma obra de serenidade impressionante. É música que não interfere com o sentimento religioso, com o espírito de contemplação e meditação. Bem ao contrário, pode ser descrita como uma oração musicada. Certamente por isso, Palestrina tornou-se uma espécie de compositor oficial da Igreja católica, e sua arte encontra lugar mais apropriado no serviço religioso do que na sala de concertos. Mesmo exibindo uma ausência geral de contrastes, ela se beneficia, entretanto, da estrutura da Missa, que acabou por revelar-se uma forma de arte particularmente eficaz (tanto que continuou a ser praticada através dos séculos, inclusive por Stravinsky).

A Missa *Assumpta est Maria* apresenta uma forma geral que não difere muito de outras obras do gênero: as cinco partes – Kyrie, Gloria, Credo, Sanctus, Agnus Dei – são outros tantos motetos polifônicos. O Kyrie é uma invocação: "Senhor, tende piedade de nós". Como em outras partes, usa-se aqui uma estrutura ternária, o que se poderia descrever como uma forma A-B-A (sendo A um tipo de material; B, uma temática diferente, e A o retorno à matéria inicial). Sempre com a preocupação de valorizar ao máximo o espírito do texto, a primeira parte envolve a massa coral (que, como cabe a um moteto, nunca é muito numerosa). O Christe Eleison central ("Cristo, tende piedade de nós") obtém uma eficaz mudança de registro: a expressão é mais suave, o volume sonoro menor. O retorno ao Kyrie traz mais convicção e um forte sentido conclusivo.

O Gloria exprime confiança tranqüila. Vemos, aqui, um Palestrina que já ia longe na direção de uma escrita harmônica, ainda que sem audácias, com seus acordes cheios. Também há um impulso para a modulação que abala um pouco a superfície tranqüila da polifonia. A mudança de "registro" vem com o *Qui tollis* ("Tu que tiras os pecados do mundo"). Dentro desse clima, o Miserere tem acentos comoventes, do mais puro Palestrina. Fecha o movimento um exultante *Cum sancto spiritu*.

O Credo é, nas missas, a parte talvez mais elaborada e mais reflexiva, já que se trata de uma enunciação de princípios. O texto, apresentado em gregoriano, logo é assumido pelas vozes. Para obter variedade, Palestrina trabalha aqui com um jogo de timbres, opondo vozes graves e vozes agudas (que logo chegam a um acordo).

Uma expressão mais intensa aparece no Crucifixus, onde se vê, de novo, a comovente transparência de expressão característica de Palestrina.

No Sanctus, retorna-se a uma estrutura ternária: a música segue convicta até o Hosanna, inclusive; mas, ao chegar no Benedictus ("Bendito o que vem em nome do Senhor"), temos um forte escurecimento, uma economia de meios, um caráter intimista que faz um pouco o papel de música de câmara em relação ao coro pleno. A estrutura é arrematada com o retorno jubiloso do Hosana.

Finalmente, como em tantas missas, o Agnus Dei fornece a conclusão satisfatória. É um fecho de escrita encorpada, de emoção quase à flor da pele (até onde isto é possível num compositor como Palestrina).

Clavicórdio, séc.XVI

Esboço biográfico:

Palestrina

Pierluigi Palestrina nasceu em 1525, na cidade que lhe deu o nome artístico. Quando o bispo de Palestrina (a cidade) foi transferido para Roma, levou com ele o menino musical que se destacava pela bela voz; assim, Palestrina foi menino cantor em Santa Maria Maggiore. Voltou à sua cidade, aos 19 anos, como organista e mestre de coro da catedral. Sete anos depois, o papa Júlio III (outro antigo bispo da cidade) nomeou-o mestre de coro da Cappella Giulia, com o que ele se tornava um membro do Coro Pontifício. Foi demitido pouco depois por um outro papa, que não queria cantores casados no coro.

A essa altura, sua capacidade musical já era amplamente reconhecida, e ele substituiu um outro compositor famoso – Orlando di Lasso – como mestre de capela da Igreja de São João de Latrão. Renunciando a esse cargo, voltou a Santa Maria Maggiore como mestre de coro e foi nessa ocasião que publicou o seu primeiro livro de motetos. Em 1567, entrou para o serviço do cardeal Ippolito d'Este. Em 1571, estava de novo na Cappella Giulia como diretor de música.

A tragédia entrou em sua vida na década de 1570, quando perdeu dois filhos e dois irmãos em conseqüência de uma série de epidemias. Em seguida, perdeu também a mulher e enfrentou uma grave enfermidade. Recuperando-se, resolveu entrar para a vida religiosa, chegando a receber as ordens menores; porém, numa reviravolta surpreendente, casou-se com uma viúva rica e mostrou, ele mesmo, aptidão para lidar com dinheiro. Em seus últimos anos, produziu diversas obras-primas, como a Missa *Assumpta est Maria*. Morreu em Roma em 1594.

Palestrina mostra sua missa para o papa. Frontispício do Missarum liber primus, *de Palestrina, 1554*

Algumas formas musicais da Renascença

Duas vozes de um moteto de um compositor inglês, meados séc.XVI

Moteto Peça de música coral, baseada em texto latino, para uso no serviço religioso da Igreja católica. Foi criada em meados do século XIII, mas teve seu apogeu no período renascentista, com as obras de Palestrina, Lasso, Victoria, Tallis e Byrd. São peças a quatro ou seis vozes, utilizando o estilo imitativo; eventualmente tende para a escrita em acordes, mas exibe como característica peculiar uma sensibilidade cada vez maior para o conteúdo expressivo do texto.

Madrigal Contrapartida profana do moteto. Surgiu na Itália durante o século XIV. Sua forma poética compreendia freqüentemente duas estrofes de três versos seguidas de um *ritornello*, que é uma espécie de refrão. Em meados do século XVI o madrigal

Madrigal de Caccini, 1601

atingiu o máximo de expressividade através das obras de Lasso, Gesualdo, Marenzio e dos grandes mestres ingleses: Byrd, Weelkes e Thomas Morley.

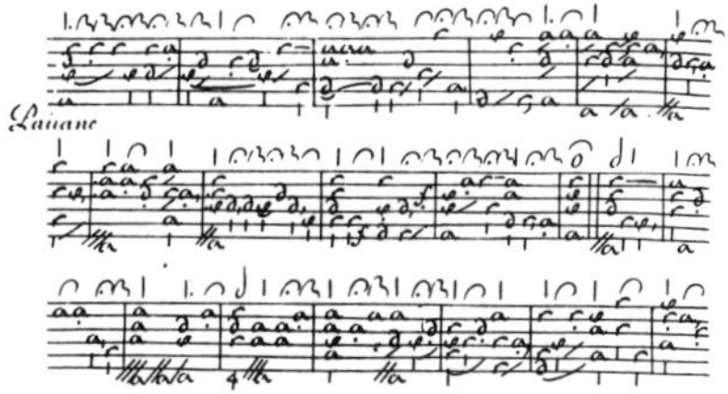

Partitura de pavana, c.1652

P*avana* Dança palaciana do século XVI, geralmente em compasso binário, que encontrou lugar na música de concerto ao ser adotada pelos virginalistas ingleses, a primeira escola importante de música para teclado. Aparecia habitualmente em combinação com a galharda, que vinha temperar, com seu ritmo mais vivo, a gravidade da pavana. Interessante exemplo moderno é a *Pavana para uma infanta defunta*, de Ravel.

A dança da galharda. Fac-símile de xilogravura de Thoinot Arbeau, 1588

Para ouvir

PALESTRINA
Missas *Papae Marcelli;*
Veni Creator

ORLANDO DI LASSO
Madrigais *Matona mia cara;*
Occhi, piangete
Motetos

WILLIAM BYRD
Madrigais *The Silver Swanne*

JOHN BULL
Pavanas
Galhardas

Comentário: Ao lado das missas de Palestrina, que são um modelo de perfeição, vale a pena ouvir os motetos e madrigais de Orlando di Lasso, que mostram um temperamento mais ardente e quase infinita variedade de expressão. Dentro da escola inglesa, que também produziu madrigais belíssimos, há o capítulo da música para teclado de Byrd, Gibbons e John Bull – a primeira escola do gênero na música européia.

Cronologia

1525 – Nascimento de Giovanni Pierluigi da Palestrina, em Palestrina

1532 – Nascimento de Orlando di Lasso, em Mans

1543 – Nascimento de William Byrd, em Lincoln

1560 – *Salmos penitenciais*, de Orlando di Lasso

1567 – Missa *Papae Marcelli*, de Palestrina

1576 – Nascimento de Thomas Weelkes, em Elsted

1583 – Missa *Assumpta est Maria*, de Palestrina; nascimento de Thomas Morley, em Norwich

1585 – Ofício da Sexta-Feira Santa, de Victoria

1591 – *Stabat mater*, de Palestrina

1594 – Morte de Palestrina, em Roma; morte de Lasso, em Munique

1597 – Sinfonias sacras, de Giovanni Gabrieli

1602 – Morte de Morley, em Londres

1605 – Byrd conclui as *Gradualia*

1623 – Morte de Byrd, em Essex; morte de Weelkes, em Londres

1625 – Morte de Gibbons, em Canterbury

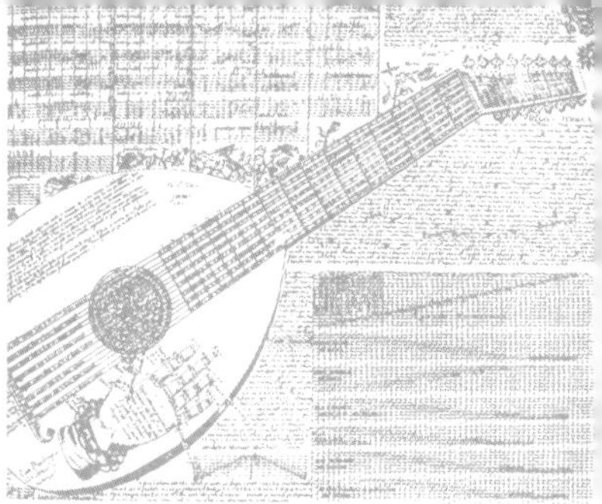

Barroco

(c.1600-c.1750)

Características

Dicionários e histórias da música costumam explicar que "barroco" é palavra de origem portuguesa, significando uma jóia ou pérola de formato irregular. O termo teria sido usado para descrever um estilo no qual, às vezes, a profusão de ornamentos e detalhes esconde a estrutura de uma obra.

Mas estes são conceitos teóricos. Na arte em geral e na música, o que o Barroco realmente significa é um poderoso impacto emocional, o desejo de subjugar os sentidos através de uma emoção muito forte. É como se houvesse uma oscilação, na história da humanidade, entre períodos clássicos e românticos. A Renascença tinha sido clássica, tinha valorizado as linhas puras e proposto um retorno aos ideais da Grécia e de Roma. Já os conflitos da alma barroca podem ser vistos nas peças de Shakespeare, que rompem com os padrões tradicionais. No plano político, o século que começa em 1600 assiste a tragédias como a Guerra dos Trinta Anos, a diversas revoluções na Inglaterra, à decadência da Espanha. A arte precisava traduzir essas realidades fortes. Daí a música barroca ter se afastado, de modo geral, das delicadas construções renascentistas.

A música da Renascença tinha explorado ao máximo os recursos da polifonia, com o seu sofisticado jogo de vozes. O Barroco, em contrapartida, deixará uma voz solista pairando sobre as demais. As outras vozes serão amalgamadas numa base harmônica que não é, em princípio, senão uma linha de baixo que acompanha toda a peça – e por isso foi chamada de "baixo contínuo". Mas esse baixo precisa de uma complementação – o que modernamente chamamos de "harmonia".

Cravo

À linha de baixo agregam-se um ou dois instrumentos que vão dar suporte à voz solista. Ou então um instrumento de teclado, como o órgão ou o cravo, fornece ele mesmo o baixo e a harmonia. Esta foi uma das maiores revoluções da história da música – tão importante, que esse período chegou a ser conhecido como "a era do baixo contínuo" (baixo contínuo significando, portanto, uma função musical, e não um instrumento).

Da polifonia, passa-se à monodia, isto é, ao sistema da melodia acompanhada. Com essa mudança vai nascer o gênero que condiciona o primeiro Barroco e que teve fértil descendência: a ópera. A solidez harmônica do baixo contínuo liberava a voz solista para todas as audácias. No começo, essa liberdade foi usada com certo constrangimento. Mas sempre que há recursos novos, acaba aparecendo um gênio para dar-lhes pleno emprego.

L ORFEO
FAVOLA IN MVSICA
DA CLAVDIO MONTEVERDI
RAPPRESENTATA IN MANTOVA
AL SERENISSIMO SIGNOR
In Venetia Appresso Ricciardo Amadino.
M D C IX.

Orfeu é *representado em Mântua, 1607*

No início do Barroco, esse gênio chamou-se Claudio Monteverdi, responsável pela primeira ópera digna desse nome – o *Orfeo*, de 1607 – mas que também fazia música polifônica no nível dos mestres renascentistas. O nascimento da ópera significa o surgimento da música dramática, do teatro musical. Em sua última obra-prima, *L'incoronazione di Poppea*, Monteverdi coloca as emoções humanas em música com uma potência expressiva que raramente foi igualada depois. Esse potencial expressivo, por ora, estava limitado à música vocal.

Na música instrumental, os mestres barrocos desenvolveram a suíte herdada da Renascença. A "orquestra" ainda era um organismo em formação. Ao se sofisticar um pouco mais, produziu um outro gênero característico do Barroco: o "concerto grosso", no qual um grupo de instrumentos solistas – o concertino – opõe-se a um grupo maior, que pode ser todo o conjunto: o concerto grosso propriamente dito. Este foi um gênero muito fecundo, do qual Archangelo Corelli forneceu as primeiras obras-primas, e que acabou resultando nos *Concertos de Brandenburgo*, de Bach.

Nesse meio tempo, uma outra revolução estava acontecendo: a transformação dos instrumentos de cordas. Da antiga família das violas iam emergir o violino, o violoncelo e a viola moderna, instrumentos de sonoridade mais forte e brilhante. E, de novo, apareceu o gênio para tirar partido dessas possibilidades. Nas mãos de Antonio Vivaldi (nascido em Veneza em 1678) surge o concerto para solista, suplantando em popularidade o concerto grosso. O impacto que isso causou atravessou as fronteiras italianas e espalhou-se pela

Europa em partituras manuscritas; assim, um jovem músico alemão, Johann Sebastian Bach, pôs-se a copiar esses concertos, para seu uso próprio, e a adaptar concertos de Vivaldi para o cravo (anos mais tarde, ele mesmo escreveria o seu *Concerto italiano*, obra esplêndida para cravo solo). Com Vivaldi, os violinos que vêm de Cremona e de outras oficinas italianas passam a cantar com a força expressiva da voz humana. Nasce o concerto para solista, que ia ser praticado por Mozart, Beethoven, Chopin, Brahms, Prokofiev.

Outro gênero tipicamente barroco é o oratório, inicialmente ligado à Igreja católica, no seu esforço para reagir à Reforma protestante. O oratório é uma espécie de ópera sem ação contínua e sem cenário, sobre um tema sacro. Como a ópera, mobiliza solistas, coro e orquestra. O oratório barroco foi um dos gêneros em que novamente a polifonia ia ser empregada com espetacular eficácia. Haendel foi o grande mestre desse estilo, escrevendo obras de tema religioso

Instrumentos de cordas, início séc.XVII. Desenho de Michael Pretorius, 1620

Johanna Friderica Floerken of Gotha in Saxony
(born Michaelsen in Halle) whom I make my
Sole Exec^trix of this my last Will
In witness whereof I have hereunto set my hand
this 1 Day of June 1750

George Frideric Handel

Últimas linhas do testamento de Haendel

como o *Messias*. Bach, além de toda a sua produção instrumental, usou esses mesmos recursos nas suas Cantatas e, sobretudo, nas grandes Paixões, obras de imensa dramaticidade, onde a alma do Barroco encontra uma de suas realizações definitivas.

Exemplo musical:

As quatro estações ("Verão")

Com a publicação, em 1711, dos concertos do *Estro armonico* (op.3), Vivaldi causou sensação no meio musical europeu. Mas é no opus 8 (*Cimento dell'armonia e dell'invenzione*) que se encontra sua obra mais famosa: os quatro concertos com violino solista que formam *As quatro estações*. É a arte de Vivaldi em todo o seu colorido, com desenhos rítmicos que se fixam na memória. No primeiro Barroco, os movimentos de uma composição instrumental extraíam sua lógica estrutural do contraponto imitativo. Com Vivaldi (que seguia o exemplo de Albinoni), eles passam a um estilo muito mais homofônico, ritmicamente marcante, e onde o fator de unidade é a repetição, em momentos estratégicos, de motivos característicos.

Um bom exemplo disso é o primeiro movimento do segundo concerto de *As quatro estações* – "Verão". Há, aqui, alguma coisa da música descritiva – inclusive porque cada concerto, na partitura, vem precedido de um soneto que é como a descrição do cenário. Mas a consistência vem da própria música. O primeiro quadro (num movimento que mal passa de 5 minutos) traz a sensação de langor provocada por um calor muito forte. As cordas estabelecem com muita propriedade essa atmosfera. Mas eis que o cuco se põe a cantar, sacudindo o marasmo, num motivo de notas repetidas bem violinísticas (este é um dos pontos "estruturais" do movimento). Um pouco depois, ele dá lugar à rola, que é gentil, mas faz uso de uma dissonância! E ouve-se também o pintassilgo.

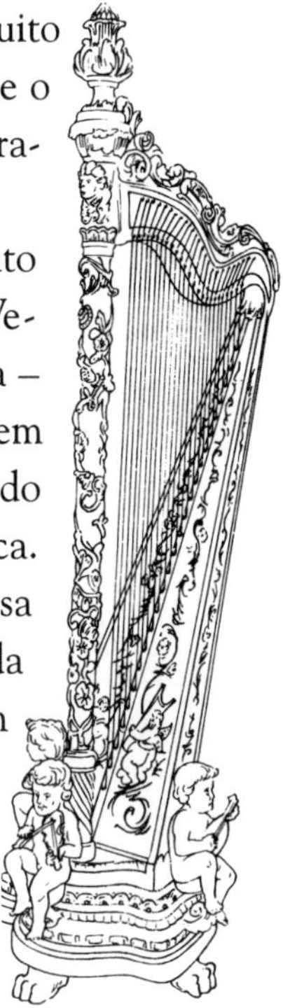

Harpa, séc.XVII

Esse idílio campestre é interrompido pelo Zéfiro – um vento brando, mas que põe tudo em movimento. E eis que irrompe o Vento Norte, afastando rudemente o cenário anterior. Quando esse ímpeto se quebra, o que se faz ouvir, no violino solista, é a voz do pastor – um lamento bem diferente, na sua expressividade, do que eram até agora as vozes da natureza. O retorno do Vento Norte fecha o movimento, que é estruturalmente perfeito apesar da sucessão de episódios – toda uma cena campestre em 5 minutos de música.

Esboço biográfico:

Vivaldi

Antonio Vivaldi nasceu em Veneza em 1678, tendo estudado música com seu pai, que era violinista na Catedral de São Marcos. Seguindo a carreira eclesiástica, ordenou-se padre em 1703, mas logo foi dispensado de ordens devido a uma “doença do peito” que pode ter sido a asma. Começou, então, uma longa associação com o Ospedale della Pietà, que dava instrução a meninas abandonadas e que ganhou fama pelos altíssimos padrões de interpretação musical.

Muitos dos 450 concertos de Vivaldi foram escritos para a Pietà – concertos em três movimentos que usam o esquema barroco de alternância entre os episódios musicais e o que se chama de *ritornello* (uma espécie de refrão).

Vivaldi, caricatura de Ghezzi

Vivaldi também produziu cerca de 40 óperas para Munique e para diversas cidades italianas. Conhecido como o "padre vermelho" devido ao seu cabelo ruivo, passou três anos em Mântua como diretor musical do Margrave de Hesse-Darmstadt e, depois de 1724, viajou muito pela Europa. Em 1735 voltou a Veneza, vendeu quase todas as suas propriedades e mudou-se para Viena, esperando iniciar uma nova etapa artística. Porém, suas expectativas se frustraram, e, como Mozart, morreu na pobreza extrema, em 1741.

Sua obra conheceu longos períodos de eclipse, que se estenderam até o século XX. Só em meados de 1950 ele foi redescoberto e revelado ao mundo por pequenos conjuntos italianos, como I Musici e os Virtuosi di Roma. Começava ali uma "onda barroca" que nunca mais iria se interromper. E ao Vivaldi dos concertos é preciso acrescentar, agora, o das óperas e de importantes obras religiosas como o Gloria e o Magnificat.

Algumas formas musicais do Barroco

Fuga Um desenvolvimento dos estilos imitativos que vieram da Renascença, a fuga tem certo parentesco com o moteto renascentista. Mas enquanto no moteto as várias frases do texto estimulam a aparição de novos motivos melódicos, o que caracteriza a fuga e lhe dá rigor intelectual é o foco em uma idéia central. Uma fuga depende de um bom tema, que se preste a várias manipulações – como aumentação, diminuição, inversão. As entradas do tema em vozes sucessivas vão criando uma expectativa que é todo o segredo do gênero e que chega a um clímax no *stretto*, quando as vozes parecem convergir para um mesmo lugar.

Suíte Seqüência de movimentos estilizados de dança que floresceu como importante forma instrumental durante o século XVII e primeira metade do XVIII. A ordem normal das danças era: allemande, courante, sarabanda, gavota e giga. Bach enriqueceu extraordinariamente o gênero ao escrever, para teclado, as *Suítes francesas*, *Suítes inglesas* e Partitas (que seriam as *Suítes alemãs*).

Folha de rosto da Suíte para cravo, de Haendel

Cantata Peça vocal sacra ou secular de dimensões moderadas, utilizando recitativo, ária e, eventualmente, corais. Floresceu na Itália, no início do século XVII, e consisitia em peças líricas curtas para voz solista e pequeno acompanhamento instrumental. Eram as chamadas cantatas de câmara. Mas o gênero foi-se tornando gradualmente mais importante, sobretudo a partir da liturgia luterana, e, na obra de Bach, a cantata chegou a explorar os mais refinados recursos vocais e instrumentais. As *Paixões* de Bach são uma espécie de apoteose dos recursos vocais e instrumentais desenvolvidos pela cantata.

Oratório Composição para solistas vocais, coro e orquestra, com libreto baseado em texto religioso. Característico do primeiro Barroco (quando a Igreja católica buscava novos recursos expressivos para combater a Reforma protestante), o oratório acabou por ganhar feição monumental na obra de Haendel, mestre indiscutível do gênero.

Sonata A sonata do período Barroco não deve ser entendida como um antepassado da sonata clássica: é um outro gênero de música, incluído numa designação muito mais abrangente – a das obras feitas *per suonare*, em oposição às peças para canto. A popularidade do violino estimulou esse tipo de composição; mas também se escreveram sonatas para flauta, oboé, viola da gamba etc. Corelli estabeleceu a forma da sonata barroca como uma obra em quatro movimentos, começando com um movimento lento. Esse tipo de sonata era conhecido como "sonata *da chiesa*" (sonata de igreja) devido à sua natureza austera, que permitia a execução durante serviços religiosos. Por oposição, havia a "sonata *da camera*", de atmosfera mais leve. Outro tipo característico de sonata barroca foi a chamada "sonata-trio", escrita para três instrumentos (geralmente dois violinos e violoncelo, ou viola da gamba). E ainda um outro tipo são as sonatas para cravo de Scarlatti, em um só movimento e em forma binária (isto é, em duas partes complementares, cada uma normalmente repetida).

Para ouvir

HAENDEL
Oratório *Messias*
Concerti grossi op.6
Acis and Galathea; Alexander's Feast;
Israel no Egito

VIVALDI
As quatro estações
Gloria; Magnificat

BACH
Cravo bem temperado
Concertos de Brandenburgo
Paixão segundo são João;
Paixão segundo são Mateus
Cantatas

Comentário: A riqueza musical do Barroco é estonteante. Para entrar nesse universo, depois da colorida "iniciação" vivaldiana, é importante ouvir Bach: as grandes peças para órgão, as suítes para teclado, os dois volumes do *Cravo bem temperado*, também para teclado. Depois, pode-se entrar no mundo das cantatas (quase duzentas), onde se expressa a fé inabalável do luterano Bach, e que culmina com as duas grandes *Paixões*. O melhor contraponto para esta arte sublime e às vezes severa é o mundo bem mais descontraído de Haendel, que, ao contrário de Bach, era um cosmopolita, sabendo unir a verve italiana à profundidade alemã. Recomenda-se a freqüentação dos *concerti grossi*, dos grande oratórios (não só do *Messias*), e de obras isoladas como *Acis and Galathea* ou *Alexander's Feast*.

Cronologia

1601 – Monteverdi é nomeado diretor da corte dos Gonzaga, em Mântua

1607 – *Orfeo*, de Monteverdi, que também publica os *Scherzi musicale*

1613 – Monteverdi é nomeado diretor de música da Catedral de São Marcos

1623 – *História da Ressurreição*, de Heinrich Schütz

1636 – *Musikalische exequien*, de Schütz, primeiro réquiem alemão

1637 – Segundo Livro de tocatas, de Girolamo Frescobaldi; inauguração da primeira casa de ópera pública no mundo, o Teatro San Cassian, em Veneza

1639 – *L'Adone*, de Monteverdi, sua primeira ópera para um teatro público

1642 – *L'incoronazione di Poppea*, de Monteverdi

1643 – Morte de Monteverdi, em Veneza

1653 – Nascimento de Archangelo Corelli, em Fusignano

1656 – Nascimento de Marin Marais, em Paris

1659 – Nascimento de Henry Purcell, em Londres

1660 – Nascimento de Alessandro Scarlatti, em Palermo

1666 – *Paixão segundo são Mateus*, de Schütz

1668 – Nascimento de François Couperin, em Paris

1671 – Inauguração da Académie Royale des Opéra, mais tarde Opéra de Paris

1678 – Nascimento de Antonio Vivaldi, em Veneza

1681 – Nascimento de Georg Philipp Telleman, em Magdeburg

1685 – Nascimento de Domenico Scarlatti, em Nápoles; Johann Sebastian Bach, em Eisenhach; e Georg Friedrich Haendel, em Halle

1689 – *Dido and Eneas*, de Purcell

1695 – Morte de Purcell, em Londres

1700 – Sonatas para violino op.5, de Corelli

1703 – Vivaldi é nomeado para o Ospedale della Pietà em Veneza; Bach torna-se organista em Arnstadt

1712 – Concerti grossi op.12, de Corelli; *L'estro armonico*, de Vivaldi

1713 – Pièces pour le clavecin, de Couperin

1721 – *Concertos de Brandenburgo*, de Bach

1722 – *O cravo bem temperado*, vol.1, de Bach

1723 – *Paixão segundo são João*, de Bach

1728 – Morte de Marin Marais, em Paris

1729 – *Paixão segundo são Mateus*, de Bach

1723 – *La serva padrona*, de Pergolesi

1738 – Missa em si si menor, de Bach

1739 – *Israel no Egito*, de Haendel

1741 – *Messias*, de Haendel

1750 – Morte de Bach, em Leipzig

1759 – Morte de Haendel, em Londres

Classicismo

(c.1750-c.1800)

Características

Em termos puramente cronológicos, o Classicismo em música não durou muito: ele vai da morte de Bach (1750) até as primeiras obras "revolucionárias" de Beethoven (começo do século XIX). Mas essa realidade "matemática" é ilusória: assim como o Barroco, ou o Romantismo, o Classicismo representa uma tendência permanente do espírito humano, sendo imemoriais suas raízes estéticas. Quem diz "clássico" – em música como em outros terrenos – pensa em equilíbrio, em senso da forma, em algo duradouro.

Historicamente, entre o Barroco e o Classicismo houve um ligeiro interregno, que ficou conhecido como "rococó". Essa estética delicada fugia das obras grandiosas em direção às formas pequenas, valorizando a sensibilidade. É um momento "feminino" da arte européia, que pode ser identificado nas obras de Carl Philipp Emmanuel Bach, filho do grande Sebastian. Não por acaso, Carl Philipp usa

Flautista, séc.XVIII

preferencialmente instrumentos como a flauta e o clavicórdio – aptos a descrever emoções delicadas.

No fundo, o rococó traduzia um certo cansaço diante da abrangência intelectual e o caráter dramático do alto Barroco. Era um espírito que transbordava para o plano do cotidiano. Na corte francesa dessa época, estavam em moda as porcelanas chinesas, a literatura sentimental, os trajes pastoris, as elegias bucólicas...

Um pouco desse espírito ainda subsiste nas primeiras obras de Haydn – o verdadeiro pai do Classicismo. Também aqui se identificam as motivações originais do movimento: busca da simplicidade, clareza de linhas, jogo sutil das emoções. Com Haydn, porém, a história da música tinha encontrado um dos seus grandes construtores, um artista realmente original, e não se passaria muito tempo até que o verdadeiro Classicismo emergisse das rendas e bordados do rococó.

Haydn praticamente inventou os gêneros que ainda hoje fornecem a espinha dorsal da música de concerto. É em suas mãos que a sinfonia deixa de ser uma amável peça instrumental para tornar-se o momento principal de um programa. Ele fez o mesmo pelo quarteto de cordas, que se transformou em sinônimo da melhor música de câmara. Por trás disso, está o partido que soube tirar da forma sonata. Nesta forma musical – que não deve ser confundida com os gêneros instrumentais daí derivados – reside o grande princípio estrutural do Classicismo, e é o que estabelece o parentesco entre uma sinfonia, uma sonata para piano ou para violino e um concerto clássico. Todos esses gêneros costumam ter o primeiro movimento em forma de sonata (ver adiante a análise da sinfonia A *galinha*). E o que a sonata propõe é uma espécie de "viagem tonal", partindo do tom principal (chamado de tônica) e regressando a ele no final.

Esse esquema já pode ser visto com clareza nas obras que Haydn (nascido em 1732) compôs em torno dos seus 40 anos. É a época dos Quartetos op.20, chamados *Quartetos do Sol* – um divisor de águas na história da música.

Joseph Haydn

Curiosamente, também é a época em que Haydn sofre a influência do *Sturm und Drang* ("Tempestade e ímpeto") – uma espécie de pré-

Wolfgang Amadeus Mozart e sua família

Romantismo nascido na Alemanha, mas de que também participou, por exemplo, Rousseau na França. Goethe publicara o seu *Werther* em 1774; de repente toda a Europa viu-se tomada por uma verdadeira tempestade emocional. Em Haydn, isso resultou na composição de algumas sinfonias altamente dramáticas, e até sombrias – como a *Trauersymphonie* ou a chamada *Lamentatione*. Efeitos disso também podem ser sentidos numa obra como o concerto K466, de Mozart, para piano e orquestra.

Mas não era ainda a hora do Romantismo. Haydn ultrapassa esse tumulto emocional e chega ao seu estilo maduro, onde o espírito clássico aparece em toda a sua beleza e majestade: obras que refletem os mais variados aspectos da sensibilidade humana, filtrados por um temperamento de artista. Mozart, com sua genialidade, não teve nenhum problema em mover-se nesse território conquistado por Haydn; o mesmo aconteceu com o Beethoven da primeira fase. As estruturas básicas do Classicismo continuaram a prestar serviços por todo o movimento romântico, encontrando lugar em muitas obras do século XX – sinfonias e sonatas de Sibelius, Prokofiev, Shostakovich.

Uma das principais estruturas musicais introduzidas pelo Classicismo foi a "forma sonata", da qual veremos a seguir algumas características.

Forma sonata

A forma sonata tem a força e a nitidez estrutural que associamos a outras produções do século XVIII, o Século das Luzes. Ela joga com as tonalidades, usando a dialética entre dois temas contrastantes. Bach, com o *Cravo bem temperado*, criara um sistema racional de tonalidades que ia servir a todo o mundo clássico e que podemos conhecer simplesmente observando o teclado de um piano. Entre dó e sol, por exemplo, existe a relação que os clássicos chamam de tônica/dominante. Esta é a modulação mais simples, usada pelos violonistas principiantes: "primeira posição", "segunda posição". Existem viagens muito mais complexas – a viagem cromática, por exemplo, usando semitons (as teclas pretas), que Chopin inaugurou e Wagner levou ao apogeu.

Música de câmara no Garden Salon, de Daniel N. Chodowieck

A forma sonata, estruturalmente, é bem mais simples. Ela trabalha com o tom principal e com o tom "relativo" – isto é, um tom aparentado ao primeiro. Por exemplo, dó e sol. O tema principal é apresentado no tom que domina a peça – por exemplo, dó maior. Esse primeiro tema costuma ter um caráter afirmativo. Um segundo tema aparecerá, então, no tom "relativo"; e esse tema pode ter um caráter diferente, mais lírico. O contraste entre esses dois temas fornecerá o assunto da "exposição", que é a primeira parte da forma sonata (é importante lembrar que a forma sonata acontece num único movimento, mesmo que, depois, apareça em outros movimentos da mesma peça).

Expostos os dois temas, com suas respectivas características, a forma sonata entra no seu miolo, que pode ser a parte mais interessante: o que chamamos de "desenvolvimento". Nessa parte, o compositor escolhe um dos temas – ou fragmentos de cada um deles – para uma elaboração que é a alma da sonata e que mostra o seu sentido do drama musical. É o momento em que a tensão é levada ao clímax (por exemplo, o desenvolvimento da Sinfonia *Heróica*, no primeiro movimento, conduz a uma agressiva dissonância).

Esgotada essa exploração – que, num mestre como Mozart, pode implicar num fascinante passeio por várias tonalidades –, a forma sonata entra na sua terceira parte, que é a "recapitulação": os temas retornam, ainda com suas características próprias; só que, agora, em vez de negar a tonalidade do primeiro tema, o segundo tema vai aparecer nessa mesma tonalidade, o que traduz a idéia de um conflito encerrado, "resolvido", como se diz em música.

Em última instância, a alma dramática da sonata é mais um jogo de tonalidades do que o próprio conflito dos temas. Os temas servem para levar a música de um plano tonal para outro; quando voltamos ao tom original, temos uma agradável sensação de repouso, de conclusão. Mas isso é apenas o arcabouço teórico numa forma que provou ser infinitamente rica (e que, por isso, tem sido aproveitada nos mais variados estilos).

Exemplo musical:

Sinfonia *A galinha* (Allegro)

Vejamos como isso funciona num movimento em forma sonata de extraordinária eficácia: o Allegro inicial da Sinfonia n.83 de Haydn, *A galinha*. É uma das seis sinfonias que Haydn, em plena maturidade, escreveu para uma série de concertos em Paris. Como tantas sinfonias clássicas, está estruturada em quatro movimentos: Allegro, Andante, Menuetto, Finale. O primeiro movimento, que vamos analisar, é uma típica forma sonata.

Ao contrário de outras sinfonias de Haydn, aqui não há "introdução": mergulhamos direto no primeiro tema, num agitado contexto de sol menor. É um tema incisivo, poderoso, que pode ter suas origens no período *Sturm und Drang*; é desses temas que imediatamente se fixam na memória, o que contribui para a clareza estrutural do movimento. Haydn modula (isto é, muda de tom), avança impetuosamente; mas eis que, apenas 1 minuto e 17 segundos depois da abertura (na versão Yehudi Menuhin, EMI), caímos no segundo tema (ou no segundo grupo de temas), que não tem mais nada de dramático, que é quase cômico: é a galinha que vem ciscando em si bemol maior (tom "relativo", isto é, parente, do tom inicial). Logo em seguida, ela põe-se a cacarejar, também em si bemol; e assim estamos no coração da arte de Haydn, que era uma alma limpa e tinha muito senso de humor.

Termina a exposição; mas a praxe manda que ela seja repetida (é o que chamamos de *da cappo*, "de volta ao princípio"). Encerrada essa repetição, a 3 minutos e 50 segundos da versão Menuhin, eis o desenvolvimento, em que Haydn vai trabalhar simultaneamente o primeiro e o segundo temas (ou fragmentos deles), passando para tom maior o que era menor, usando o contraponto. É o músico em plena alegria da criação. No primeiro tema transparece um caráter quase angustiado; mas logo sentimos que a atmosfera se desanuvia e, aos 5 minutos e 33 segundos estamos prontos para o bloco final: recapitulação.

Isso significa voltar ao tom do início – sol; só que agora maior, e não menor (liberdade que os clássicos às vezes se permitiam). Na frente, claro, vem o primeiro tema; depois, volta a galinha. Só que, agora, ela cisca e cacareja em sol maior, não mais em si bemol; o que significa, para o ouvinte (ainda que não tenha consciência disso), que o conflito terminou e o movimento vai chegar ao fim. O que se faz através de uma coda ("cauda", em italiano), que é realmente um fecho, uma conclusão.

Nem sempre a forma sonata aparece de forma tão clara, tão transparente. Mas, no fundo, esta é a estrutura que serviu a Haydn, Mozart, Beethoven, Brahms e tantos outros compositores, inclusive modernos. E se ela foi tão útil, é porque aliava a simplicidade (ou a firmeza) estrutural a um refinado princípio dramático. Já se comparou esse jogo dos temas a um confronto de personagens numa peça de Shakespeare. E Haydn, nisso, foi um mestre.

Esboço biográfico:

Haydn

Joseph Haydn nasceu em Rohrau, pequena aldeia da Áustria, em 1732, num ponto da fronteira austríaca onde estão presentes elementos do folclore húngaro e croata (essas raízes populares mais tarde encontrariam espaço na sua obra adulta). De família pobre, aos seis anos foi viver com um parente severo, que lhe deu as primeiras lições de música. Aos oito, graças a uma bela voz, entrou para o coro da Catedral de Santo Estêvão, em Viena. Quando perdeu a voz, aos 17 anos, estava totalmente sem perspectivas e foi trabalhar para um professor de canto, que teve a bondade de auxiliá-lo em seus primeiros exercícios de composição. Haydn começou a escrever sonatas para teclado no estilo de C.P.E. Bach, compondo alguns quartetos de cordas para um nobre, o que ajudou a torná-lo conhecido.

Data importante em sua vida foi o ano de 1761, quando entrou para o serviço da família Esterhazy – nobres húngaros fabulosamente ricos, e amantes da música. Para a capela dos Esterházy, Haydn compôs suas primeiras sinfonias – primeiro em Viena, onde esses nobres possuíam um palácio, e, depois, nas vastidões de Esterháza, suntuosa residência de campo que era um pequeno Versalhes no interior da Hungria.

Haydn sofria quando tinha de ficar longos meses longe de Viena, sentindo falta das amizades que fizera na capital; mas esse isolamento, como ele mesmo escreveu, forçou-o a ser original. Por outro lado, tinha à sua disposição uma pequena orquestra, na qual podia experimentar em primeira mão suas novas idéias. Assim tomaram forma, nas lonjuras de Esterháza, as estruturas musicais que constituiriam o núcleo do estilo clássico (e das quais Mozart se serviu amplamente): a sinfonia, que tinha deixado de ser uma peça leve, quase frívola; o quarteto de cordas, a sonata instrumental e o concerto clássico para instrumentos solistas.

Viena na época de Haydn

A reputação de Haydn acabou por atravessar as fronteiras e, com pouco mais de 50 anos, ele estava escrevendo para Paris as seis esplêndidas sinfonias que incluem *O urso* e *A galinha*. Salto mais ambicioso foi a primeira de duas visitas a Londres, patrocinada pelo empresário Salomon, durante a qual inaugurou a série das doze sinfonias londrinas – ainda hoje um ponto de referência no repertório sinfônico. Sua última fase está marcada pela composição de grandes obras corais, incluindo seis missas e os oratórios *A criação* e *As estações*.

Haydn foi (por pouco tempo) professor de Beethoven. Antes disso, estabeleceu uma boa amizade com Mozart, seu grande contemporâneo do estilo clássico, que, com honestidade característica, ele considerava o maior compositor do período. Morreu em 1809.

AVVISO.

Oggi Venerdì 8. del corrente Gennajo la Sigra. Maria Bolla, virtuoſa di Muſica, darà una Accademia nella piccola Sala del Ridotto. La Muſica ſarà di nuova compoſizione del Sigre. Haydn, il quale ne ſarà alla direzione.

Vi canteranno la Sigra. Bolla, la Sigra. Tomeoni, e il Sigre. Mombelli.

Il Sigre. Betbofen ſuonerà un Concerto ſul Pianoforte.

Il prezzo dei biglietti d'ingreſſo ſarà di uno zecchino. Queſti potranno averſi o alla Caſſa del Teatro Nazionale, o in caſa della Sigra. Bolla, nella Pariſergaſſe Nro. 444. al ſecondo piano.

Il principio ſarà alle ore ſei e mezza.

Anúncio de um concerto em Viena do qual participaram Haydn e Beethoven, 1796

Algumas formas musicais do Classicismo

Minueto Dança rústica, em compasso ternário, que se tornou muito popular na Europa do século XVII. Durante o período barroco, uma forma instrumental com esse nome foi freqüentemente utilizada como um dos movimentos da suíte. Já no período clássico, o minueto incorpora-se aos grandes gêneros instrumentais: aparecia geralmente como o terceiro movimento de uma sinfonia, propiciando um clima de relaxamento entre a profundidade dos adágios e a eletricidade dos finais. Beethoven transformará esse minueto clássico no *scherzo*, muito mais dinâmico, mas sem abandonar o compasso ternário.

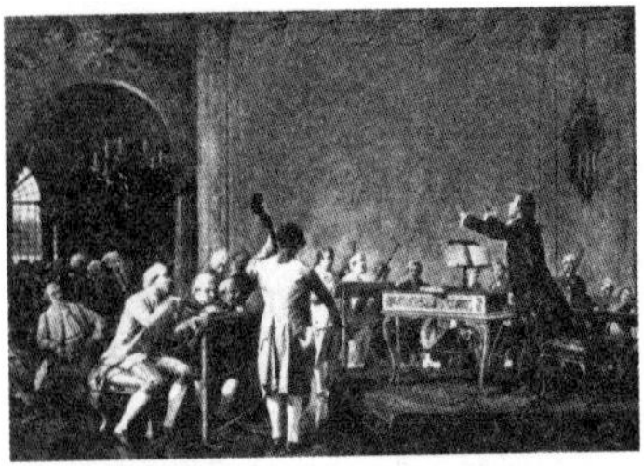

Concerto O concerto para solista já tinha chegado a um nível muito alto de perfeição no período barroco. Na obra de Mozart, porém, ganha nova dimensão artística, sobretudo através do concerto para piano (pianoforte). Nesses concertos, que Mozart escreveu muitas vezes para suas próprias apresentações como pianista, o instrumento solista passa a ser um digno rival da orquestra, e é a riqueza desse diálogo que faz do concerto clássico uma realização extraordinária. Os românticos seguiriam por esse caminho.

Quarteto de cordas Provavelmente o gênero de música instrumental mais sofisticado do período clássico. Estruturado normalmente em quatro movimentos (Allegro, Adagio, Minueto, Finale), o quarteto de cordas emprega dois violinos, viola e violoncelo. O primeiro movimento é construído sobre a forma sonata. A sinfonia pode chamar mais atenção, mas foi ao quarteto que compositores como Haydn, Mozart e Beethoven confiaram algumas de suas mais profundas inspirações. O gênero também foi praticado pelos românticos, mas sem a mesma fertilidade; conheceu uma surpreendente floração no século XX, através dos quartetos de Bartók, Shostakovich e Villa-Lobos.

Papageno, personagem da ópera **A flauta mágica**, *de Mozart*

Ópera A ópera é o "teatro com música", e depende tanto da variedade musical como de uma boa caracterização dos personagens. Daí a importância de um bom libreto (o texto), que pode ser ou não do próprio compositor. A ópera foi virtualmente criada por Monteverdi, no início do Barroco, e teve em Haendel um fecundo praticante. Mas é no período clássico, com as óperas de Mozart, que o gênero parece alcançar, finalmente, toda a sua potencialidade. Em óperas como *As bodas de Fígaro*, *Don Giovanni* e *A flauta mágica*, a riqueza da caracterização psicológica rivaliza com a própria música. Daí a orgulhosa afirmação de Mozart de que a ópera, como teatro, tinha recursos superiores ao próprio teatro.

Sinfonia Peça orquestral geralmente em quatro movimentos (Allegro, Andante ou Adagio, Minueto e Finale). O primeiro movimento está estruturado na forma sonata. Com Haydn, a sinfonia passou de amável peça instrumental a parte principal de um programa.

Para ouvir

Haydn
Sinfonias *Oxford*; *Paris;*
Surpresa; Sinfonia do Relógio;
Sinfonia n. 104; *Sinfonia militar*
Quartetos de cordas op.20, 64, 74

Mozart
Sinfonia em sol menor; *Praga*; *Júpiter*
Concertos para piano e orquestra
Quintetos de cordas (K515, K516)
Óperas *As bodas de Fígaro; Don Giovanni; A flauta mágica*

Comentário: Haydn incursionou praticamente por todos os gêneros instrumentais que formam a base da música clássica. A lista de suas grandes sinfonias inclui as Seis Sinfonias *Paris*, a Sinfonia *Oxford* e as Sinfonias londrinas: a *Surpresa*, a *Sinfonia militar*, a *do Relógio*, a Sinfonia n.104. Mas os quartetos de cordas também são indispensáveis para o conhecimento desse gênio, destacando-se os op.20, 64, 74 e os dois grandes quartetos do op.77. Toda essa produção esteve muito tempo à sombra do gênio de Mozart (hoje em dia, felizmente, podemos ter os dois). E em Mozart, de fato, a escolha é quase ilimitada. É indispensável conhecer as últimas sinfonias – a Sinfonia *Praga*, a Sinfonia em sol menor, a Sinfonia *Júpiter*. O mesmo se pode dizer da grande série de concertos para piano e orquestra, onde tudo é bom. E, sem esquecer as óperas, recomenda-se uma visita aos dois grandes quintetos de cordas (K515 e K516), que mostram Mozart no ponto extremo de sua evolução artística e espiritual.

Cronologia

1732 – Nascimento de Joseph Haydn, em Rohrau

1740 – Haydn se torna menino de coro na capela da corte em Viena

1753 – *Le devin du village*, de Rousseau

1756 – Nascimento de Wolfgang Amadeus Mozart, em, Salzburgo

1759 – Morte de Haendel, em Londres

1761 – Haydn, patrocinado por Esterházy, compõe as sinfonias *Le matin, Le midi, Le soir*

1762 – *Orfeo ed Euridice*, de Gluck

1764 – Mozart chega a Londres com sua família

1766 – Haydn se torna diretor de música em Esterháza

1767 – Morte de Telemann, em Hamburgo

1770 – Beethoven é batizado, em Bonn

1772 – Quartetos de cordas op.20, de Haydn

1778 – Inaugurado o Teatro La Scala, em Milão, com *Europa riconosciuta*, de Salieri

1781 – *Idomeneo*, de Mozart

1782 – *O rapto do serralho*, de Mozart

1785 – Sinfonias *Paris* e *A galinha*, de Haydn; Quartetos de cordas de Mozart dedicados a Haydn

1786 – *As bodas de Fígaro*, de Mozart

1787 – *Don Giovanni*, de Mozart

1788 – Sinfonia *Oxford*, de Haydn; Mozart compõe suas três últimas sinfonias

1790 – *Cosi fan tutte*, de Mozart; Haydn é convidado a Londres por Johan Peter Salomon

1791 – Sinfonia *Surpresa*, de Haydn; *A flauta mágica*, de Mozart; morte de Mozart, em Viena

1798 – *A criação*, de Haydn

1809 – Morte de Haydn, em Viena

Beethoven

(1770-1827)

Características

Na história da música ocidental, não há nenhum capítulo tão poderoso quanto o que se resume em Beethoven. Trata-se de um capítulo à parte; e tão forte que não se encaixa em nenhum estilo: Beethoven é Beethoven.

Ele faz a passagem entre duas grandes épocas: o Classicismo e o Romantismo. No entanto, não é totalmente correto afirmar que Beethoven passou do Classicismo para o Romantismo. Ele passou pelo Classicismo, pelo Romantismo e terminou num estilo que foge às classificações: o seu último estilo. Proust escreveu: “os últimos quartetos de Beethoven prepararam o público para os últimos quartetos de Beethoven.”

Também se pode comparar a trajetória de Beethoven à de Goethe (que era vinte anos mais velho). Goethe viveu uma fase de ardente romantismo (a do *Werther*), superou esse primeiro romantismo com o

Goethe

Fausto e acabou a vida numa atitude quase olímpica. Beethoven também superou o Romantismo; mas nunca chegou a ser propriamente sereno. "O artista mais intenso que eu já conheci", disse dele Goethe.

Seu primeiro estilo nasce de Mozart e Haydn. Entre as últimas sinfonias de Haydn e as duas primeiras de Beethoven quase não há solução de continuidade. As primeiras sonatas para piano também poderiam ser de um Haydn um pouco mais audacioso. E se ouvirmos a sonata *Primavera*, para violino e piano, e perguntarmos a alguém de conhecimento musical médio quem a compôs, ele vai responder: "Mozart".

O passo seguinte de Beethoven foi a explosão dos moldes clássicos, numa sinfonia como a *Heróica*. Mas cuidado: se esse vinho novo já não cabe nos odres velhos, Beethoven continua a usar tudo o que o Classicismo tem de bom. A saber: um admirável sentido da forma e a capacidade de dominar as emoções. A não ser em casos muito raros (como o chamado Trio *Fantasma*, para piano, violino e violoncelo), a música de Beethoven nunca é uma ego trip, nunca é apenas uma expansão emocional, subjetiva.

É isso o que faz de Beethoven Beethoven: o sentimento mais forte, mais vigoroso, canalizado para uma estrutura "clássica". Não é só o fruto de um esforço de vontade, ou de caráter: o "caso" Beethoven é complexo. Por um lado, o homem capaz de uma tempestade como a Quinta Sinfonia. Porém, em seguida à tempestade, o céu se desanuvia, e Beethoven pode mostrar uma serenidade tão completa e tão sublime quanto a de Goethe em seus melhores momentos.

Beethoven em Viena, desenho de J.P. Lyser

Exemplo musical:

Sonata Appassionata

A Sonata para piano op.57 (*Appassionata*) é um bom exemplo do estilo "médio" de Beethoven em sua mais característica expressão. Também mostra de que maneira Beethoven adaptava o estilo clássico às suas conveniências. A forma está presente – a forma sonata que sustenta o primeiro movimento –, mas o que ressalta (como na

Quinta Sinfonia) é uma prodigiosa intensificação da expressão, da matéria musical: Beethoven em estado quimicamente puro.

O primeiro tema é um acorde de fá menor que se estende por uma oitava inteira, primeiro descendo, depois subindo. Nada mais simples. Porém, os temas mais fortes em Beethoven são os mais simples (como na Quinta Sinfonia). É na concentração temática que está a força da música. Tudo aqui é energia.

Como manda a forma sonata, o segundo tema, em tom maior, estabelece um luminoso contraste com o primeiro. Mas esse tema, que também tem a estrutura de um acorde, pode ser depois transportado para o modo menor – assim como o primeiro tema pode passar para maior. É a simplicidade deles que permite essa inversão. Assim, não há obstáculos para a energia pura que atravessa todo o movimento com espasmos explosivos.

Piano de Beethoven

O Andante central restabelece a harmonia das esferas. Poucas vezes Beethoven escreveu algo tão sereno, tão sublime. O movimento está vertido numa de suas formas favoritas: a da variação. E aqui se vê por que Beethoven é muito mais que uma força da natureza. A variação é uma forma que exige forte pendor intelectual. Só grandes intelectos (como Bach) se movem com desenvoltura nesse terreno. Ele abre uma possibilidade muito cara aos grandes compositores: uma espécie de prolongamento infinito da matéria musical. Havendo inspiração (e gênio arquitetônico), não há limites para uma série de variações. Assim Bach compôs as *Variações Goldberg*; e Beethoven, as *Diabelli*.

Na *Appassionata*, não há esse tipo de prolongamento infinito; mas há o suficiente para que o espírito relaxe, embalado por uma mente superior. Tudo isso serve apenas para preparar o cataclismo final. De novo, as fúrias estão soltas. De novo, a presença de um espírito que controla a tempestade. Pianistas menores, aqui, naufragam no furacão, parecem subjugados pelas ondas de som e de paixão. Mas se o intérprete é, por exemplo, Wilhelm Kempff, tem-se um retrato em profundidade da arte de Beethoven: intensidade máxima submetida às finalidades e aos propósitos da grande música.

Esboço biográfico:

Beethoven

Ludwig van Beethoven nasceu em Bonn, na Alemanha, em 1770 e inicialmente estudou música com o pai, que era cantor e instrumentista a serviço do Eleitor de Colônia. Todavia, seu desenvolvimento artístico só ganha contornos mais sérios quando ele passa a receber a orientação de Christian Gottlob Neefe, o organista da corte. Com peças publicadas desde os 12 anos, e afirmando-se rapidamente como um virtuose ao piano, Beethoven consegue apoio do Eleitor para estudar em Viena. Haydn o aceita entre seus alunos; havendo um certo choque de temperamentos entre esses dois gênios, Beethoven extrairá mais proveito das aulas recebidas de Albrechtsberger e Salieri.

A aristocracia de Viena o adota como um de seus favoritos, e ele se apresenta freqüentemente como compositor e pianista em casas particulares e palácios. Suas primeiras obras importantes datam de 1795 – como o belo Concerto n.1 para piano e orquestra. A primeira sinfonia é de 1800, quando ele já havia publicado diversas sonatas para piano, para piano e violino, e para violoncelo e piano.

Em 1802, vem a grande crise: Beethoven confronta-se com a realidade da progressiva perda de audição – iniciada alguns anos antes, mas já agora incontornável. Emerge daí um outro homem, e um artista maior. Vai começar o chamado período "heróico", que vê nascer uma impressionante sucessão de obras-primas: as sinfonias n.3, 4, 5 e 6; os Quartetos *Rassumovsky*; sonatas como a *Appassionata* e a *Waldstein*; o Concerto n.4 para piano e orquestra.

Página característica do caderno de anotações de Beethoven

Durante todo esse período, ele passa por episódios sentimentais em que se apaixona, invariavelmente, por moças da nobreza. Às vezes é correspondido; mas o desnível social e o compromisso de Beethoven com sua arte acabam desmanchando essas quimeras.

Completamente surdo na meia-idade, eventualmente enfrentando problemas de dinheiro e a educação de um sobrinho problemático (tendo as guerras napoleônicas abalado as condições financeiras dos nobres que o sustentavam), Beethoven passa do "período heróico" para a fase final, que verá o nascimento das suas maiores obras – como a Nona Sinfonia e os últimos quartetos de cordas.

As biografias tradicionais que o apresentam como um mártir do Destino falseiam bastante a realidade: mesmo no isolamento que marca os seus últimos anos, Beethoven continuou a ser uma personalidade intensamente vital, de forma alguma alheia ao que se passava à sua volta. Seus ideais humanitários – que o levaram a rasgos de entusiasmo com a Revolução Francesa e depois à decepção com Napoleão, que passara de cônsul a imperador – traduzem-se em sua única ópera, *Fidelio*, que tanto é um hino à liberdade como ao amor conjugal que ele nunca conseguira realizar. E a Nona Sinfonia termina com uma "Ode à alegria" (texto de Schiller) na qual as tristezas da vida são esquecidas em nome de um congraçamento entre os homens de boa vontade. Morreu em 1827.

O gabinete de Beethoven na Schwarzapannierhaus, em Viena, por Johann Hoecle, 1827

Algumas formas musicais características de Beethoven

Sinfonia A sinfonia de Beethoven inicialmente seguiu o modelo clássico de Haydn. A partir da *Heróica*, entretanto, conquista uma nova dimensão, e a Nona Sinfonia, a última que ele conseguiu concluir, também abre possibilidades novas. É essa "sinfonia expandida" que o movimento romântico praticará, como mostra o exemplo de Brahms. O "último Romantismo", por sua vez, desenvolverá a lição da Nona, tanto nas imensas sinfonias de Bruckner como nas sinfonias de Mahler, onde a voz e o coro também fazem sua aparição.

Variação Este é um gênero que vem do Barroco (as *Variações Goldberg*, de Bach, já têm dimensões monumentais), mas que Beethoven transformou em algo de extremamente pessoal, não só em obras como as *Variações Diabelli* mas também em movimentos isolados de sonatas ou sinfonias. O movimento lento da Nona Sinfonia é uma série sublime de variações, o que também acontece no final da Sonata op.111 para piano. Trabalhando a partir de um tema, a variação permite desenvolvimentos aparentemente infinitos. É um gênero bastante intelectual, mas que pode transmitir uma peculiar sensação de tranqüilidade e de estabilidade.

Para ouvir

Beethoven

Sinfonias n.1 a 9

Sonatas para piano op.101, 109, 110; *Waldstein*; *Les adieux*

Quartetos de cordas (sobretudo op.127)

Comentário: Quem quiser conhecer um pouco melhor a grande arte de Beethoven deve fugir das obras excessivamente batidas (como a *Sonata ao luar*) e tornar-se amigo de sonatas menos conhecidas, como a *Waldstein*, a *Les adieux*, as sonatas para piano op.101, 109, 110. Grandes obras (além das sinfonias, claro) são as cinco sonatas para violoncelo e piano. E o *sanctum sanctorum* da arte de Beethoven é a coleção dos cinco últimos quartetos, começando com o op.127. Mas este é um terreno para quem já superou as etapas anteriores.

Cronologia

1770 – Nascimento de Ludwig van Beethoven, em Bonn

1795 – Beethoven faz sua estréia pública em Viena com o Concerto n.2 para piano, op.19

1800 – Seis Quartetos de cordas op.18; Sinfonia n.1

1802 – Publicação da *Sonata ao luar*; Testamento de Heiligenstadt

1803 – Sinfonia *Heróica*; *Fidelio*; *Sonata a Kreutzer*

1804 – Sonata *Appassionata*, para piano

1806 – Concerto para violino e orquestra op.61; Quartetos *Rassumovsky*

1807 – Sinfonia n.5; Concerto para piano n.4

1808 – Sinfonia n.6

1811 – Sinfonia n.7; Concerto para piano n.5 e Trio *Arquiduque*

1814 – Sinfonia n.8

1823 – Sinfonia n.9; *Missa solemnis*

1825 – Quarteto de cordas op.130

1827 – Morte de Beethoven, em Viena

Romantismo

(c.1800-c.1900)

Características

Romantismo é palavra tão abrangente que sempre é preciso explicar em que sentido está sendo empregada. Em todas as épocas pode-se identificar um impulso "romântico" do ser humano: é quando os sentimentos tomam o primeiro lugar, quando as emoções são fortes. Em música, isso acontece muitas vezes. Pode-se falar de um romantismo dos barrocos (por exemplo, na *Paixão segundo são Mateus*, de Bach). Alguns movimentos lentos dos concertos para piano de Mozart parecem antecipar Chopin (quando Mozart tinha 18 anos, em 1774, Goethe estava publicando o seu *Werther*, bandeira do movimento romântico na literatura).

Embora Beethoven, em música, tenha feito a passagem do Classicismo para o movimento romântico, não se pode considerá-lo um romântico característico (ver o capítulo anterior). A marca

Os recitais, ou solilóquios musicais, de Liszt

do Romantismo musical é muito mais forte em outros compositores – como Schumann, Liszt, Chopin. Esse é realmente um mundo novo, que assume aspectos distintos conforme o autor. Pois uma das grandes características do artista romântico é o individualismo. Ao contrário dos clássicos, que seguem uma tradição, uma "escola", o romântico, antes de tudo, consulta o próprio coração. Em vez de escola, indivíduos que falam de seus sentimentos mais íntimos. Toda obra romântica tem algo de autobiográfico.

Outra característica: a ligação com a literatura. O romântico, de modo geral, vive um sentimento vago de inquietação: ele não se sente à vontade em seu mundo, rejeitando algumas, ou muitas, de suas características (vale lembrar que o Romantismo nasceu quando a industrialização começava a enfear as paisagens européias). Os livros, nesse caso, podiam servir de consolo. Um escritor como Jean-Paul Richter foi amado até a idolatria por compositores como Schumann (o próprio Schumann, talvez o músico mais representativo de todo o movimento, foi crítico literário, filho de livreiro, e dono de considerável cultura).

Multiplicam-se, assim, as obras com conotações literárias. Schubert, em suas canções (ou *Lieder*), faz o casamento entre a música e a grande poesia alemã. Liszt usa a música como um poeta, para descrever cenários da natureza. Beethoven já escrevera peças sinfônicas inspiradas em Shakespeare e Goethe (*Coriolano*, *Egmont*). O Romantismo, de modo geral, consisitiu numa reação à cultura racionalista do século XVIII, uma cultura que pode ser considerada "universalista". Já os românticos vão em busca do gênio local, do espírito de cada país e, para isso, podem ir muito longe, até a Idade Média, até as matrizes do folclore. Mahler, um dos últimos românticos autênticos, escreverá uma série de sinfonias sobre uma coleção

Uma imaginária orquestra a vapor em um concerto romântico

Gustav Mahler

de poemas folclóricos alemães – *Des Knaben Wunderhorn* (A trompa mágica do menino). O Romantismo é, assim, um veículo para o sentimento nacional. Chopin transportará para sua música o espírito de uma Polônia esmagada pelas grandes potências; Grieg fará o mesmo com a Noruega; Dvorak, com a cultura da Boêmia; Tchaikovsky, com a Rússia.

Se os clássicos pensavam em termos de linhas claras e ampla arquitetura, o romântico pensa, antes de mais nada, em termos de colorido, de atmosfera. E isso não significa somente desenvolver as artes da orquestração: significa também uma harmonia nova, que lança sobre as formas clássicas o véu da fantasia e promove constantes mudanças de colorido musical. O pioneiro dessa harmonia nova foi Chopin, que utilizou o

Chopin, desenho de Delacroix

cromatismo (etimologicamente, o uso da cor) para tingir de melancolia suas linhas melódicas puríssimas.

Franz Schubert

Consultando seus estados de alma, o romântico tende a fugir das formas muito amplas, que constituiriam amarras para sua inspiração. Ele prefere as formas fragmentadas – do mesmo modo que um literato romântico tende a trocar a prosa pela poesia. Assim, Schumann, mais uma vez, aparece como representante ideal dessa estética. Suas melhores obras para piano – o *Carnaval*, os Estudos sinfônicos, a *Kreisleriana*, as *Phantasiestucke*, a *Humoresque* – são coletâneas de peças menores, unificadas, é verdade, por uma determinada concepção estilística (mais ampla nos Estudos sinfônicos, mais fragmentada no *Carnaval*).

Com pequenas peças, os românticos compuseram o seu mundo (mesmo Chopin, que temperou o Romantismo com o mais puro espírito clássico, acabou sendo um mestre das formas pequenas).

Johannes Brahms

Mas o Romantismo foi um movimento demasiadamente rico para deter-se diante de alguma limitação e, passada a primeira onda romântica, apareceram mestres, como Brahms, capazes de aliar o lirismo romântico ao fôlego arquitetônico de Bach ou de Beethoven.

Num estilo diferente – que partia de Wagner – Bruckner e Mahler também construíram imensas sinfonias (maiores até que as de Brahms). Nesses dois mestres, porém, vê-se uma curiosa recuperação das origens do movimento. Parecendo obras colossais, essas sinfonias são, na verdade, painéis em que se passa rapidamente de um clima a outro – e da grande orquestra a texturas deliciosamente camerísticas. Era o espírito romântico reivindicando novamente os seus direitos: acima de tudo, o de ser caprichoso, de seguir as mais leves sugestões da fantasia e da imaginação.

Exemplo musical:

Cenas infantis

Ilustração para Kinderszenen, *por Friederike Medem, 1878*

Se há uma obra que pode servir de iniciação ao universo poético dos românticos é certamente a *Kinderszenen* (Cenas infantis), de Schumann. No mundo da infância, o romântico vai buscar uma pureza e um sentido poético que ele julga perdidos no mundo dos adultos, conspurcado pelo materialismo e pelo pragmatismo. Nesse seu op.15, Schumann faz a viagem que todo romântico procurava fazer – até as raízes da emoção e do próprio ser. Os entretítulos, aqui, poderiam ser os de pequenas histórias: "Por terras e homens estranhos"; "A criança que implora"; "Quase feliz"; "Acontecimento importante"; o famosíssimo "*Traumerei*" (Sonhando); "Perto

do fogo"; "O cavalinho de pau"; "Quase muito sério"; "A criança adormece"; "O poeta fala". Esta última peça resume todo o restante: adormecida a criança, só o poeta pode falar, pois só ele é capaz de interpretar esse reino mágico de que os "filisteus" estão excluídos.

Essa idéia dos "filisteus" é bem de Schumann: nas *Davidsbundlertanze* (Danças dos companheiros de Davi), ele imaginou um combate entre Davi e os filisteus em que estes simbolizam o espírito burguês que o Romantismo rejeitava, combate que inspirou todo o movimento romântico. No entanto, alguém já observou que, sendo um movimento de inspiração literária, o Romantismo pressupõe, paradoxalmente, uma certa estabilidade "burguesa" sem a qual o sonho pode desembocar numa crua (e anti-romântica) realidade.

Esboço biográfico:

Schumann

Robert Schumann nasceu em Zwickau, na Alemanha, em 1810, filho de um livreiro que chegou a traduzir Byron. Apaixonado por música e literatura (gostava de improvisar ao piano), foi estudar direito, por pressão da família, em Leipzig e Heidelberg (mas dedicou-se, sobretudo, ao estudo de Bach e Beethoven). Começou a ter aulas de piano com um professor famoso, Wieck, que tinha uma filha-prodígio: a futura Clara Schumann. Estimulado pelo mestre, trabalhou obsessivamente a técnica pianística, chegando a inventar um aparelho destinado a ampliar a abrangência da mão. Conseguiu, dessa maneira, arruinar a mão direita (há quem diga que teria sido conseqüência de uma propensão à sífilis). O consolo para esse desastre veio com a revelação de seus dotes de compositor.

Seu primeiro opus pianístico – as *Variações Abegg* – foi logo seguido por *Papillons* e pela Toccata op.7. Temperamento emocional, Schumann tinha uma histórico familiar de desequilíbrio mental (uma irmã se suicidara), e vira sua própria sanidade ameaçada. Reagiu à doença criando uma revista de crítica musical onde, com generosidade característica, apoiava a nova geração de Chopin, Mendelssohn e (mais tarde) Brahms.

Uma fase extremamente fecunda, sobretudo na música para piano, resultou numa sucessão de obras-primas: o *Carnaval*, as *Phantasiestucke*, os Estudos sinfônicos, a *Kreisleriana*, as *Cenas infantis*. Também crescia a olhos vistos sua paixão por Clara, que encontrava oposição decidida do pai dela, o professor de piano Friedrich Wieck.

Em 1840, depois de conflitos intensos que chegaram à barra do tribunal, o jovem casal obteve finalmente o direito de consumar sua união. Isso provocou, em Schumann, nova febre criativa, em especial no terreno do lied – uma coleção de canções em que a alma romântica se expressa em toda a sua verdade profunda. Em seguida, Schumann começou a explorar o terreno sinfônico, sen-

Robert Schumann

do bem-sucedido sobretudo na Primeira e na Quarta sinfonias.

Seu último grande ciclo criativo, em 1842, resultou na composição do Quinteto e do Quarteto com piano. Dificuldades na vida familiar e, em particular, revezes profissionais ajudaram a abalar um equilíbrio que nunca fora totalmente sólido. Em 1854 começou a sofrer de alucinações e, depois disso, a doença mental progrediu rapidamente. Ainda teve tempo, em 1853, de conhecer o jovem Brahms e dar um encorajamento artístico decisivo àquele em quem via a plena maturação do Romantismo em música. Brahms pagou essa generosidade com uma dedicação de toda a vida (alguns dizem: paixão) à viúva Clara.

Clara Schumann

Algumas formas musicais do
Romantismo

Poema sinfônico Obra orquestral geralmente em um único movimento, utilizando com freqüência uma inspiração literária ou descritiva. Liszt foi o primeiro mestre do gênero, ao escrever Os prelúdios e A *batalha dos hunos*. Outros vieram pelo mesmo caminho – como Tchaikovsky, que escreveu *Romeu e Julieta* e *Francesca da Rimini*. Mas ninguém esperava que, já na fase final do Romantismo, Richard Strauss fosse voltar ao gênero com tanto entusiasmo, produzindo *Assim falou Zaratustra*, *Don Juan* e *Morte e transfiguração*.

Ópera A ópera romântica conseguiu voltar as costas à perfeição aparentemente insuperável de Mozart. Compositores como Weber dedicaram-se a criar, no teatro, atmosferas de mistério e drama, apoiados em novos conceitos de harmonia e orquestração; Verdi infundiu na ópera o seu gênio dramático, criando personagens eventualmente à altura de Shakespeare (como em *Otello*). Wagner, finalmente, usou a ópera como veículo para uma nova linguagem sinfôni-

Richard Wagner

ca: é a partir da ópera de Wagner que se pode falar na grande orquestra moderna, tal como seria usada por Mahler e Richard Strauss.

Valsa Dança em compasso ternário que apareceu na Alemanha e na Áustria no final do século XVIII, apoiada na tradição dos *laendler*, com sua típica batida de três tempos. As composições da família Strauss fizeram da valsa uma verdadeira coqueluche na Viena do século XIX. Compositores clássicos não tardaram a utilizar a mesma matéria-prima: as 14 Valsas de Chopin, por exemplo, sempre foram um cavalo-de-batalha para muitos pianistas; e há magníficos exemplos de valsas na música sinfônica de Tchaikovsky. O gênero teve um reflexo finíssimo no Brasil através das composições de Ernesto Nazareth, sendo Francisco Mignone um outro cultor apaixonado da valsa.

Canções (Lieder) A canção clássica já mostrava, em Mozart, personalidade muito forte; mas é com os românticos que ela se transformará num gênero quase inesgotável. Schubert descobriu um filão quando pôs-se a musicar os grandes poetas alemães – é a tradição do lied. Depois dele vieram Schumann, Brahms, Mahler, Hugo Wolff, Richard Strauss.

Para ouvir

SCHUBERT

Lieder *Der Tod und das Mädchen; Erlkönig; Die schöne Müllerin*

CHOPIN

Noturnos; Estudos; Mazurkas

LISZT

Sinfonia *Fausto*

Sonata em si menor

DVORAK

Sinfonias n.6, 7, 8 e *Novo mundo*

SCHUMANN

Carnaval; Kreisleriana

Estudos sinfônicos

Quarteto com piano

Quinteto com piano

BRAHMS

Sinfonias

Um réquiem alemão

MENDELSSOHN

Sinfonia n.3

Concerto para violino

Comentário: O primeiro grande mestre romântico é Schubert. Entre as 600 canções que escreveu, não há obras fracas. Mas também estão sendo muito ouvidas, agora, as sonatas para piano. A obra para piano de Chopin dispensa apresentações. Schumann produziu uma série de grandes obras pianísticas –

o *Carnaval*, os Estudos sinfônicos, a *Kreisleriana*, mas também deixou duas obras-primas na música de câmara: o Quarteto e o Quinteto com piano. Liszt é um mestre para quem gosta de percorrer terrenos inovadores. Já Mendelssohn agrada mais aos conservadores. Brahms deixou algumas catedrais em música – como as quatro sinfonias e o *Réquiem alemão*. Uma vertente mais leve desse Romantismo nórdico é a arte contagiante de Dvorak. Deixando de lado a *Novo mundo*, que todo mundo conhece, vale a pena ouvir as sinfonias n.6, 7 e 8.

Franz Liszt em concerto, caricatura de Janko

Cronologia

1797 – Nascimento de Franz Schubert, em Viena
1810 – Nascimento de Robert Schumann, em Zwickau; nascimento de Frédéric Chopin, em Zelazowa Wola
1811 – Nascimento de Franz Liszt, em Raiding
1813 – Nascimento de Giuseppe Verdi, em Le Roncole; nascimento de Richard Wagner, em Leipzig
1819 – Quinteto *A truta*, de Schubert
1823 – *A bela moleira*, de Schubert
1827 – *Viagem de inverno*, de Schubert
1828 – Morte de Schubert, em Viena
1830 – Noturnos op.9, de Chopin
1831 – Publicação das *Variações Abegg*, de Schumann
1833 – Nascimento de Johannes Brahms, em Hamburgo
1835 – Estudos sinfônicos e *Carnaval*, de Schumann
1836 – *Das Liebesverbot*, primeira ópera de Wagner encenada
1841 – *O navio fantasma*, de Wagner
1839 – Estréia da Nona Sinfonia, de Schubert; *Oberto*, primeira ópera de Verdi
1840 – Nascimento de Pyotr Tchaikovsky, em Kamsko-Votkinsk
1841 – Sinfonia n.1, de Schumann; nascimento de Antonin Dvorak, em Nelahozeves
1845 – *Tannhaüser*, de Wagner
1846 – Concerto para piano e Sinfonia n.2, de Schumann
1849 – Morte de Chopin, em Paris
1851 – Sinfonia n.3, a *Renana*, de Schumann; *Rigoletto*, de Verdi
1854 – *O ouro do Reno*, de Wagner; Os prelúdios, de Liszt

1859 – *Tristão e Isolda*, de Wagner; Concerto para piano n.1, de Brahms
1860 – Nascimento de Gustav Mahler, em Kaliste; Serenata n.1 e Sexteto de cordas n.1, de Brahms
1864 – Nascimento de Richard Strauss, em Munique
1865 – *Tristão e Isolda*, de Wagner
1867 – *Don Carlos*, de Verdi
1868 – *Um réquiem alemão*, de Brahms
1871 – *Aída*, de Verdi
1875 – *Carmen*, de Bizet
1883 – Morte de Wagner, em Veneza
1886 – Morte de Lizst, em Bayreuth
1890 – *Morte e transfiguração*, de Richard Strauss
1893 – Sinfonia *Patética*, de Tchaikovsky; morte de Tchaikovsky, em São Petersburgo
1897 – *La bohème*, de Puccini; morte de Brahms, em Viena
1901 – Morte de Verdi, em Milão; Sinfonia n.4, de Mahler

Impressionismo

(c.1880-c.1920)

Características

O termo "impressionismo" surgiu na segunda metade do século XIX. Em 1867, Édouard Manet fez uma exposição de seus quadros em Paris cujo catálogo explicava que o objetivo do pintor era traduzir "impressões" através de sua arte. Na mesma época, Claude Monet pintou um pôr-de-sol sobre o mar intitulado *Une impression*. A voga estava lançada. Para os pintores "impressionistas" – precursores de uma futura "arte abstrata" –, um objeto podia ser menos importante que a impressão por ele provocada no observador. Também eram menos importantes as linhas, o desenho, do que, por exemplo, a luz (um efeito que, na arte clássica, já fora explorado por Rembrandt, e, na pintura romântica, por Turner).

Tudo isso iria influenciar um jovem músico chamado Claude Debussy, que, alguns anos depois, escreveria: "A música é a expressão do movimento das águas, o jogo de curvas estabelecido pelas brisas caprichosas." E, num outro trecho, em que fazia a crítica de uma obra de Mussorgsky, mas que poderia se referir à sua própria obra: "... parece a arte de um selvagem descobrindo a música passo a passo através de suas emoções; nenhuma forma específica, ou antes, uma forma tão variada que se desligue de tudo o que é sistemático ou acadêmico, já que ela depende de sucessivos toques minúsculos, misteriosamente ligados pelo dom de uma clarividência intuitiva."

Caricatura de Debussy

Debussy não chegou de um salto a essa estética nova, tendo sido wagneriano e sentido o impacto da arte epigramática, sardônica, de Erik Satie. Numa das grandes exposições internacionais de Paris, ouviu o gamelão javanês, forma tradicional de música da Indonésia cujos instrumentos produzem sons quase "líquidos", translúcidos. Outra influência foi a arte de Mussorgsky – ruptura completa com a tirania dos sistemas e das escolas. E assim ele foi desbravando o seu caminho. Passou a referir-se a si mesmo como *musicien français*, para marcar distância da tradição austro-alemã. Foi buscar inspiração nos velhos clavecinistas franceses – Rameau, Couperin –, com sua graça, sua leveza de toque. A *Suíte bergamasque* traduz essa influência das formas e da leveza antigas.

Versículo laico e suntuoso, *de Erik Satie, extraído de álbum publicado por ocasião da Exposição Universal de 1900*

Obra decisiva, em sua evolução, foi o *Prélude à l'après-midi d'un faune*, escrito entre 1892 e 1894, para orquestra, sobre um poema de Mallarmé. Toda a estética do Impressionismo em música já se encontra ali: uma orquestração que valoriza ao máximo o colorido, uma temática sinuosa e, acima de tudo, um "clima": a música descreve os sonhos eróticos de um fauno num quente entardecer. Não é música descritiva: é uma sugestão sonora infinitamente expressiva e langorosa.

O caminho estava aberto, e Debussy escreveria outras importantes obras orquestrais, como as três *Images* e o poema sinfônico *La mer*.

Exemplo musical:

24 Prelúdios para piano e Hommage à Rameau

Pode-se encontrar em estado puro a estética do Impressionismo na coleção dos 24 Prelúdios para piano, de Debussy. São pequenos "momentos", descritos com a mão muito leve, com um colorido insuperável. Tudo o que se diz sobre essa estética sugere uma arte "casual". Não é bem assim – ou, melhor, não é nada assim. Debussy comentou isso certa vez, dizendo: "Vocês acham que eu descubro um acorde simplesmente jogando a mão sobre o piano. Mas eu posso passar uma semana inteira trabalhando um acorde."

A maravilhosa naturalidade, portanto, é o fim, e não o início do processo. E se é verdade que Debussy muitas vezes abriu mão das formas acadêmicas, ele não deu adeus por isso às leis eternas da arte musical. Não é porque não se está escrevendo uma sonata, ou uma fuga, que essas leis perdem a validade. Tome-se uma peça minúscula – um dos prelúdios para piano, como "Les sons et les parfums tournent dans l'air du soir". Esse título maravilhoso é um verso de Baudelaire (o simbolista) que Debussy está traduzindo em música.

Pode parecer que tudo é "clima" – e este é, com efeito, o resultado final –, mas ao se entrar na oficina do autor, pode-se perceber como o tema de cinco notas condiciona toda a peça. Ele é o seu princípio "construtivo", sua "forma secreta". E não só o tema, mas também o modo como se organiza a tensão, crescendo até um ponto culminante, depois se dissolvendo.

Claude Debussy

Uma forma ainda mais clara é a da peça (também para piano) *Hommage à Rameau*, uma das obras-primas de Debussy. Ele rende homenagem, aqui, ao grande mestre do século XVIII, num trecho de extraordinária riqueza harmônica – harmonias absolutamente modernas, pungentes. Mas a estrutura está lá, quase como um A-B-A dos manuais clássicos; o que significa que o motivo inicial é o mais importante; depois, o caminhar para outra temática, que atende à necessidade de "variação" de uma obra de arte; e, no final, o retorno ao motivo inicial, o que satisfaz a exigência, igualmente fundamental, de unidade e coerência.

Esboço biorá/fico:

Debussy

Claude Debussy, nascido em St. Germain-en Laye em 1862, não se inspirou exclusivamente nos pintores impressionistas para criar o estilo que ia causar o mais profundo impacto no meio musical. Igualmente importante foi a influência da literatura simbolista – de poetas como Mallarmé, Baudelaire, Verlaine e Maeterlinck (cujo *Pelléas et Mélisande* forneceria o texto para sua única ópera). Debussy (como Berlioz) foi um aluno rebelde no Conservatório de Paris, pois considerava a harmonia tradicional uma prisão. Mesmo assim, depois de duas tentativas fracassadas, obteve o cobiçado Prix de Rome, o que lhe concedia três anos de estudos na Cidade Eterna. Ficou apenas dois anos, fosse por causa de um temperamento inquieto, fosse porque sua amante de então permanecera em Paris (depois disso, sua vida emocional continuou tempestuosa: sua primeira mulher tentou o suicídio quando ele saiu em viagem com outra amante).

Ávido por influências novas, depois de ter sido wagneriano convicto, Debussy abriu os ouvidos para os sons exóticos que vinham do gamelão javanês, além de sofrer poderosa influência de Mussorgsky. Sua carreira efetiva como compositor começa em 1893, ano em que compõe seu único (e maravilhoso) quarteto de cordas e, sobretudo, o *Prélude à l'après-midi d'un faune*, uma espécie de bandeira musical do movimento impressionista. A partir daí, trilha um caminho intensamente pessoal, rompendo as cadeias da harmonia tradicional através de acordes "independentes", deixando dissonâncias irresolvidas e fazendo uso da escala de tons inteiros, da escala pentatônica e dos velhos modos da Igreja.

Capa da primeira edição de La mer, *com gravura de Hokusai,* A onda, *escolhida por Debussy*

Esse estilo atingiria plena realização na música para piano, na qual uma nova técnica de pedal ajuda a criar todo um colorido sonoro. É preciso mencionar ainda suas composições orquestrais – a mais famosa delas, *La mer*, construída em ampla escala, com uma estrutura tradicional escondida sob a superfície ondulante. Como Ravel, Debussy também conseguiu notáveis efeitos expressivos através de obras em que é patente a atmosfera espanhola. É o caso de alguns prelúdios para piano, como *Soirée dans Grenade*, e da segunda das *Imagens* para orquestra, subintitulada "Ibéria". Debussy morreu em Paris em 1918.

Frontispício de Manet para L'Après-midi d'un faune, *de Mallarmé*

Algumas formas musicais do

Impressionismo

Maurice Ravel

Suíte Desejosos de romper com as tradições românticas, os impressionistas lançaram mão de estilos antigos com deliciosa inventividade. É o caso, por exemplo, da *Suíte bergamasque*, de Debussy, onde reaparece o espírito do minueto. O *Children's Corner* é um outro brilhante ensaio de Debussy nesse mesmo terreno; Ravel fez o mesmo com *Ma mère l'oye*, inicialmente no piano e depois numa sofisticada partitura orquestral.

Poema sinfônico Sem usar esse título, que seria demasiado romântico, os impressionistas voltaram ao poema sinfônico quando decidiram enfrentar a grande orquestra. O caso mais famoso é o de *La mer*, coleção de três peças sinfônicas de Debussy, que estão claramente ligadas a sensações visuais, como indicam os subtítulos: "Da aurora ao crepúsculo no mar"; "O jogo das ondas"; "Diálogo do vento e do mar". Está no mesmo caso a coleção das *Images*, com suas três partes: "Rondes de printemps", "Iberia" e "Gigues".

Para ouvir

Debussy

24 Prelúdios para piano

Quarteto de cordas

Ópera *Pelléas et Mélisande*

Sonatas para violino

Sonatas para violoncelo

Noturnos

Ravel

Daphnis et Chloé

Ma mère l'oye

Pavana para uma infanta defunta

Bolero

Três poemas de Mallarmé

Comentário: A grande introdução ao Impressionismo é a coleção dos 24 Prelúdios para piano, de Debussy. Depois disso, é bom conhecer os quartetos de cordas – um de Ravel, outro de Debussy. Partituras orquestrais de infinita sedução incluem *Daphnis et Chloé* e *Ma mère l'oye*, ambas de Ravel, e os Noturnos de Debussy. Espíritos mais audaciosos podem aventurar-se pela grande ópera simbolista de Debussy – *Pelléas et Mélisande* –, ou experimentar as belíssimas sonatas que ele escreveu em sua fase final (para violino e para violoncelo).

Cronologia

1862 – Nascimento de Claude Debussy, em Saint Germain-en-Laye

1875 – Nascimento de Maurice Ravel, em Ciboure

1890 – *Suíte bergamasque*, de Debussy

1891 – *Prélude à l'après-midi d'un faune*, de Debussy

1899 – Noturnos, de Debussy; *Pavane pour une infante défunte*, de Ravel; Quarteto de cordas em sol menor, de Debussy

1902 – *Pelléas et Mélisande*, de Debussy

1904 – Quarteto de cordas, de Ravel

1905 – *La mer*, de Debussy

1910 – Prelúdios para piano (1° caderno), de Debussy

1912 – *Daphnis et Chloè*, de Ravel

1913 – *Images pour orchestre* e *Jeux*, de Debussy

1915 – *Noites nos jardins de Espanha*, de Manuel de Falla; Sonata para flauta, viola e harpa, de Debussy

1918 – Morte de Debussy, em Paris

1920 – *La valse*, de Ravel

1925 – *L'enfant et les sortilèges*, de Ravel

1931 – Concerto para piano (mão esquerda), de Ravel

1937 – Morte de Ravel, em Paris

Modernismo

(c.1910-)

Características

O Impressionismo dos mestres franceses tinha aberto os ouvidos modernos para todo tipo de experimentação. Da música de Debussy vinha um sopro de liberdade, porém, retrospectivamente, essa refinada arte francesa parece pouco mais que um delicado parêntese num século que ia seguir por outros caminhos. Sobretudo depois da Primeira Guerra Mundial, havia a sensação de que era preciso começar de novo. Todo um mundo tinha vindo abaixo, aos pedaços. Onde buscar novas fontes de vida e de inspiração? Pode-se tentar responder partindo de Villa-Lobos – um dos grandes compositores do século (embora certamente o menos conhecido).

Em sua juventude, Villa-Lobos foi muito influenciado pela música francesa – a princípio, a da escola de Franck e D' Indy, que trabalhava com a chamada "forma cíclica". As sonatas para piano e violi-

Villa-Lobos, por Augusto Rodrigues

no são um exemplo dessa estética. Outra influência, mais forte, foi a do Impressionismo, visível especialmente em sua obra para piano. Nessa mesma obra pianística desponta um interesse que ia levar Villa-Lobos para mais perto de si mesmo: a pesquisa das matrizes folclóricas. Embora nunca tenha sido sistemático como Bartók (ou como Guerra-Peixe, mais tarde), para Villa o folclore representou o que também representaria para o mestre húngaro: uma força libertadora das estéticas tradicionais e uma fonte de inspiração. É emocionante, por exemplo, na primeira *Prole do bebê* para piano, ver a superfície cristalina, tão "impressionista", tingir-se subitamente da matriz folclórica, que cresce até dominar o cenário.

Outra influência foi a de Bach – e aí também Villa-Lobos estava afinado com as grandes correntes do século. Quando há derrocada de valores, sempre procuramos algum ponto de referência, alguma forma de estabilidade. Em Villa-Lobos, esse papel foi desempenhado pela música de Bach, que ele ouvia, ainda menino, tocada ao piano por uma tia. Essa música proporcionou-lhe um senso do grandioso, do sublime, além de sugestões de arquitetura musical. Assim, na série das *Bachianas*, cada um dos movimentos refere-se ao mesmo tempo a um estilo brasileiro e a uma forma barroca. Por exemplo, Ária/Modinha, como na abertura das *Bachianas* n.5.

Frontispício de 3 Burlescas, op.8, de Bartók

Outros mestres do século sentiram a mesma atração por formas antigas. Stravinsky compôs o concerto *Dumbarton Oaks* nos moldes de um concerto grosso barroco. Prokofiev compôs a Sinfonia *Clássica* pensando em Haydn e Mozart. Hindemith, no seu *Ludus tonalis* para piano, escreveu uma espécie de *Cravo bem temperado* da nossa época. As formas clássicas, aliás, continuaram a ocupar seu espaço nas propostas dos movimentos revolucionários. A sinfonia foi praticada com perfeito desembaraço por Prokofiev, Sibelius, Shostakovich (este, numa linha mahleriana). Prokofiev escreveu brilhantes con-

Partitura da Abertura de Moses und Aron*, de Schoenberg*

certos para piano e violino. Shostakovich deixou-nos uma série magistral de 15 quartetos de cordas.

Tudo isso acontecia um pouco em surdina, uma vez que o século XX consumiu-se, todo ele, na discussão de propostas inovadoras, às vezes radicais. A que fez mais furor foi a "música dos 12 sons" de Schoenberg – o dodecafonismo, também chamado de serialismo.

Schoenberg é uma figura emblemática do novo século, revolucionário impregnado da nostalgia de uma ordem que substituísse os sistemas antigos. A "música dos 12 sons" foi mesmo uma revolução, deixando sua marca por todo o século. Também produziu uma espécie de abordagem "intelectual" que talvez tenha contribuído para aumentar a distância entre os compositores modernos e o seu público. Esse fascínio intelectual foi tão grande que Thomas Mann, no *Doutor Fausto*, usou o dodecafonismo como símbolo de um pacto com o demônio, feito por um fictício compositor moderno (o que, claro, ofendeu a Schoenberg).

Atualmente essas discussões estão ultrapassadas, e o serialismo, despido de ardores sectários, passou a fazer parte das ferramentas a que podem recorrer tanto um Stravinsky quanto um Edino Krieger para dar estrutura a obras que tenham abandonado as referências clássicas. Mas, para o grande público, ficou sendo uma espécie de "jardim fechado", a ser visitado pelos conhecedores.

Folha de rosto desenhada por Picasso para os arranjos de piano de Ragtime, *de Stravinsky*

Impacto muitíssimo maior tiveram as novidades surgidas na oficina de trabalho de um russo chamado Igor Stravinsky. Analisando o impacto da música de Stravinsky sobre a sua época, escreve Paul Griffiths em *Música moderna*: "No oceano de música que se formou da Renascença para cá, o ritmo sempre fora subordinado à melodia ou à harmonia, ou condicionado por um texto. Não se quer, com isso, negar a importância que ele possui em obras como a Quinta Sinfonia de Beethoven; mas mesmo nesse Beethoven, o ritmo serve para apoiar e intensificar um desenvolvimento basicamente harmônico. Já na *Sagração da primavera*, e especialmente na 'Dança do sacrifício' que é o seu clímax, é o ritmo que carrega a música, deixando um papel secundário para a harmonia." Ao longo de toda essa obra crucial, Stravinsky trabalha com células rítmicas que desafiam o fluxo normal do discurso musical. Somos levados a "pensar" no ritmo, a "senti-lo" de um modo que não acontecia antes, quando ele era apenas um dado, uma espécie de contexto necessário para que o discurso evoluísse.

Feita a revolução, o gênio tinha saído da garrafa. É fácil perceber, a essa luz, que o século XX pertenceu ao ritmo – mesmo quando não se trata de revolução estética. A batida do jazz é tranqüila e regular; mas é ela que comanda o jorro das improvisações. E esse domínio chega a ser quase caricato num tipo de música pop que tem no "bate-estaca" sua característica principal. Talvez seja por uma reação a essa tirania do ritmo que as platéias do final de século se entregaram com delícia às linhas longas e sentidas do "Romantismo tardio".

Exemplo musical:

A sagração da primavera

Stravinsky escreveu que uma das coisas de que ele realmente gostava, na Rússia, era a brusca irrupção da primavera, "que parecia começar numa hora determinada, como se a terra inteira começasse a estalar". Foi essa sensação quase física que o estimulou a pensar num novo balé para Diaghilev. As origens da *Sagração da primavera* são mais ou menos contemporâneas das do *Pássaro de fogo*; mas, nesse período, as concepções técnicas de Stravinsky estavam mudando consideravelmente, o que explica o parto um pouco mais longo da *Sagração*.

A sagração da primavera *vista por Jean Cocteau*

O enredo não é nada complicado. A primavera está chegando e produz os seus efeitos numa comunidade bastante primitiva. Há danças rituais, jogos tribais, a chegada dos veneráveis anciãos e a escolha de uma jovem que vai se sacrificar dançando até a morte. Tudo isso acontece em pouco mais de meia hora, numa atmosfera de misticismo e cerimonial, o que mostra como as coisas acontecem depressa na *Sagração*. A música de cada seção é construída sobre pequenos motivos melódicos. É sobre essas células relativamente simples que Stravinsky vai aplicar uma linguagem rítmica de excepcional impacto – um ritmo que se impõe ao ouvinte, ao infringir a regularidade da métrica tradicional, e transforma-se, ele mesmo, no assunto, levando a obra adiante com uma energia primordial. Não é de estranhar que a estréia da obra, em Paris, tenha transformado a sala numa batalha campal.

Na introdução, a melodia do fagote introduz um quadro evocativo do mistério da nova estação. Vem então a "Dança dos moços e donzelas", um ritmo pesado como de pés a baterem com força no chão. Seguem-se o "Rapto simulado", as "Danças de roda da primavera" – em que Stravinsky consegue sugerir admiravelmente o frescor de um novo tempo –, os "Jogos das cidades rivais", a "Entrada do celebrante", o "Beijo à terra e dança da terra". A introdução à segunda parte tem um clima que mostra Stravinsky ainda ligado a uma estética impressionista. O "Círculo místico dos adolescentes" conduz à "Dança para a vítima escolhida". Danças lentas, evocando os antepassados, finalmente abrem a porta para a "Dança do sacrifício", que, com seus acentos irregulares, talvez seja a mais portentosa orgia rítmica da música moderna. Na análise técnica, tudo parece imensamente complicado; mas é só vencer as resistências e a *Sagração* nos atinge com a sua força visceral.

Esboço biográfico:

Stravinsky

Igor Stravinsky nasceu em São Petersburgo em 1882. Seu pai era um famoso baixo de ópera que não simpatizava com as tendências musicais do filho, preferindo vê-lo estudando direito. Porém, na faculdade, Stravinsky teve um colega que era aluno de Rimsky-Korsakov; assim, estabeleceu-se sua ligação com o compositor, que era, também, um professor inspirado.

A influência de Rimsky-Korsakov (bem como a dos impressionistas franceses) transparece na primeira obra importante de Stravinsky: *O pássaro de fogo*, um balé escrito para o famoso empresário Diaghilev. A fama chegou imediatamente, com essa brilhante partitura de 1910. Um ano depois, *Petruchka*, composta para o mesmo Diaghilev, mostrava um imenso progresso na linguagem pessoal de Stravinsky, embebida de velhas tradições russas, mas já pulsando com um ritmo novo. E em 1913, finalmente, aconteceu a revelação explosiva da *Sagração da primavera* – uma música nova para o mundo novo que ia começar com a outra explosão que foi a Primeira Guerra Mundial.

A partir daí, Stravinsky passa a experimentar com diversos estilos (um pouco à maneira do que aconteceu com Picasso), inclusive fazendo pastiches de mestres antigos (Pergolesi, Tchaikovsky e até Bach, no vigoroso concerto *Dumbarton Oaks*). O chamado estilo "neoclássico" que daí surgiu exerceria forte influência sobre as correntes musicais européias. Ao mesmo tempo, adotava uma postura decididamente "anti-romântica" ao privilegiar os instrumentos de sopro – que tenderiam menos à "expressividade" do que as cordas. Exemplos desse estilo são a Sinfonia para instrumentos de sopro e o Octeto.

Ainda um outro estilo, inspirado na Grécia antiga, resultou na composição de *Apollon musagète*, de *Orpheus* e, um pouco adiante, de obras majestosas e hieráticas como o *Oedipus rex*. Uma fase subseqüente veria Stravinsky aderir, finalmente, ao dodecafonismo de Schoenberg – o que produziu peças austeras, quase secas, como o *Canticum sacrum in honorem sancti Marci nominis*. Nessas oscilações, Stravinsky traduziu como ninguém as aventuras estéticas de um século abertamente "experimental". Morreu em Nova York em 1971.

Picasso e Stravinsky, caricatura de Jean Cocteau

Algumas formas musicais do
Modernismo

Suíte Assim como aconteceu com o Impressionismo, o Modernismo encontrou modos de renovar completamente a velha idéia da suíte barroca. Já não se tratava, no caso, de movimentos de dança; mas o gênero convinha aos modernos pela imensa liberdade que proporciona. Também servia para extrair música de concerto de estruturas como os grandes balés – caso de *O pássaro de fogo* e *Petruchka* (Stravinsky), da suíte sinfônica de *Romeu e Julieta* (Prokofiev) e de *Daphnis et Chloè* (Ravel).

Sinfonia Outro gênero tradicional que encontrou amplo espaço dentro da produção moderna. Grandes sinfonistas do século foram Sibelius e Shostakovich – a princípio menosprezados porque não seguiam técnicas consideradas "de vanguarda"; mas sendo cada vez mais ouvidos à medida que o século avançava. Causou sensação, há não muito tempo, a "conversão" do vanguardista Penderecki, que se pôs a escrever sinfonias num estilo quase romântico.

Obras corais O século foi fértil em grandes obras para coro, a cappella ou com orquestra. Britten estabeleceu um padrão muito alto com o seu *Réquiem de guerra*. Mais ou menos na mesma época, Honegger trabalhava suas obras sobre temas bíblicos (*Le roi David*), obtendo imenso sucesso com o oratório *Jeanne d'Arc au bûcher*. Villa-Lobos empregou magnificamente os dois gêneros: para coro a cappella, fez a *Missa de são Sebastião* e a *Bendita sabedoria*; com a orquestra, construiu o painel monumental que é a Quarta Suíte do *Descobrimento do Brasil*.

— THEATRO MUNICIPAL —

AMANHAN — 17 DE FEVEREIRO

3.o e ultimo grande festival da

Semana de ARTE MODERNA

com o concurso de

VILLA-LOBOS

No saguão do theatro, exposição de pintura e esculptura.

Preços — Cadeiras 5$300

Bilhetes à venda no Theatro Municipal

Concerto de Villa-Lobos na Semana de Arte Moderna

Para ouvir

VILLA-LOBOS
Bachianas brasileiras
Choros
Cirandas
Ciclo brasileiro

BARTÓK
Concerto para orquestra
Música para cordas,
percussão e celesta

STRAVINSKY
A sagração da primavera
Petruchka
Sinfonia dos salmos
Concerto *Dumbarton Oaks*

SHOSTAKOVICH
Sinfonia n.5
Concerto n.1 para violino
Quartetos de cordas

Comentário: Um ouvinte brasileiro de música moderna não deveria nunca deixar de lado a grande obra de Villa-Lobos, das mais fortes e originais do século. Na série das *Bachianas*, são obras fascinantes (além da Quinta, claro) a Primeira e a Segunda. A série dos *Choros* é quase a espinha dorsal da obra de Villa-Lobos. Na música para piano, destacam-se as *Cirandas* e o Ciclo brasileiro; e isso é só o começo.

Em termos de música universal, Stravinsky é incontornável. Mas Bartók produziu, no mesmo nível, o Concerto para orquestra e a Música para cordas, percussão e celesta. E a obra de Shostakovich, além de sua qualidade artística, é também um grande documento humano, de alguém que passou pela opressão mais extrema e conseguiu deixar uma mensagem de beleza.

Cronologia

1874 – Nascimento de Arnold Schoenberg, em Viena

1881 – Nascimento de Bela Bartók, em Nagyszentmiklós

1882 – Nascimento de Igor Stravinsky, em São Petersburgo

1883 – Nascimento de Anton Webern, em Viena

1887 – Nascimento de Heitor Villa-Lobos, no Rio de Janeiro

1898 – Nascimento de George Gershwin, em Nova York

1904 – Morte de Dvorak, em Praga

1906 – Nascimento de Dmitri Shostakovich, em São Petersburgo

1908 – Sinfonia em si bemol maior, de Stravinsky; Quarteto de cordas n.2, de Schoenberg

1909 – Peças para piano op.11, de Schoenberg; Quarteto de cordas n.1, de Bartók; *O pássaro de fogo*, de Stravinsky

1911 – *Petruchka*, de Stravinsky; morte de Mahler, Viena

1912 – *Pierrot lunaire*, de Schoenberg; nascimento de John Cage, em Los Angeles

1913 – *A sagração da primavera*, de Stravinsky

1917 – *Uirapuru*, de Villa-Lobos

1925 – Nascimento de Pierre Boulez, em Montbrison

1928 – *Apollon musagète*, de Stravinsky; nascimento de Karlheinz Stockhausen, em Colônia; Variações para orquestra, de Schoenberg

1930 – *Bachianas brasileiras* n.1, de Villa-Lobos

1935 – *Porgy and Bess*, de Gershwin

1936 – *Carmina Burana*, de Carl Orff

1937 – Música para cordas, percussão e celesta, de Bartók; Sinfonia n.5, de Shostakovich

1945 – Morte de Webern, em Mittersill; morte de Bartók, em Nova York

1949 – Morte de Richard Strauss, em Garmish

1951 – Morte de Schoenberg, em Los Angeles; *The Rake's Progress*, de Stravinsky

1952 – *Water music*, de Cage; Cantata, de Stravinsky

1954 – *Le marteau sans maître*, de Pierre Boulez

1956 – *Canticum sacrum in honorem sancti Marci nominis*, de Stravinsky

1959 – *La voix humaine*, de Poulenc

1963 – Morte de Poulenc, em Paris; *Punkte*, de Stockhausen

1966 – *Paixão segundo são Lucas*, de Krystof Penderecki

1971 – Morte de Igor Stravinsky, em Nova York

1975 – Morte de Shostakovich, em Moscou

1992 – Morte de Cage, em Nova York

Discografia básica

Renascença

PALESTRINA

Missa Assumpta est Maria, conj. vocal: La Chapelle Royale; reg.: Philippe Herreweghe (Ricercar 241 162)

Missa Papae Marcelii, Oxford Camerata, com Jeremy Summerly (Naxos 8 550573)

ORLANDO DI LASSO

Lagrime di san Pietro, Ensemble Vocal Européen, reg.: Philippe Herreweghe (Harmonia Mundi HMC90 1483)

Motetos, The Hilliard Ensemble, com Paul Hillier (Virgin Veritas VER 5611 662)

WILLIAM BYRD, ORLANDO GIBBONS

Peças para teclado, solista: Glenn Gould (Sony Classical SMK 52 589)

Barroco

VIVALDI

As quatro estações e demais concertos do op.8, I Musici, reg.: Felix Ayo (Philips 438 571-2)

Gloria, Magnificat, Taverner Players, com Andrew Parrott (Virgin Veritas VC7 59326-2)

BACH

Peças para órgão, solista: Christopher Herrick (Hyperion CDA66791/2)

O cravo bem temperado, solista: Friedrich Gulda (Philips 446 545 2 e 446 548 2)

Cantatas, vol.1, Coro e Orquestra Bach, de Munique, reg.: Karl Richter (Archiv 439 369-2AX4)

Concertos de Brandenburgo, Musica Antiqua Koeln, com Reinhard Goebel (Archiv 4317012 e 4317022)

Paixão segundo são Mateus, Concentus Musicus de Viena, com Nikolaus Harnoncourt (Teldec 2292 42509 2)

Paixão segundo são João, English Baroque Soloists, com John Eliot Gardiner (Archiv 419 324-2AH2)

HAENDEL

Música aquática, Amsterdam Baroque Orchestra, reg.: Ton Koopman (Erato 4509-91716-2)

Messias, Les Arts Florissants, reg.: William Christie (Harmonia Mundi HMC90 1498/9)

Israel no Egito, Taverner Choir and Players, reg.: Andrew Parrott (EMI CDS7 54018-2)

Acis and Galathea, English Baroque Soloists, com John Eliot Gardiner (Archiv 423 406-2AH2)

Concerti grossi op.6, the English Concert, com Trevor Pinnock (Archiv 410 897/9-2AH)

Classicismo

HAYDN

Sinfonias Paris (incluindo A galinha), Philarmonia Hungarica, reg.: Antal Dorati (Decca 448 194-2)
Sinfonias Londres (incluindo as sinfonias *Praga*; *Júpiter*; e a Sinfonia em sol menor), Orquestra do Concertgebouw, reg.: sir Colin Davis (Philips 432 286-2PSL4)
Quartetos op.64, Quarteto Kodály (Naxos 8 550673/4)

MOZART

Concertos para piano, Camerata Academica de Salzburg, reg.: Andras Schiff (Decca 433 374-2DH)
Sinfonias n.35 a 41, Columbia Symphony Orchestra, reg.: Bruno Walter (CBS CD45676)
Quintetos para cordas, Quarteto Budapeste com Milton Katims (piano) (Sony SM3K 46527)
As bodas de Fígaro, Filarmônica de Viena; reg.: Erich Kleiber, com Lisa della Casa, Cesare Siepi e outros (Decca 417 315-2)
Don Giovanni, reg.: Carlo Maria Giulini, com Joan Sutherland, Elisabeth Schwarzkopf, Eberhard Waechter e outros (EMI 747 2608)

A flauta mágica, Orquestra da Rádio de Berlim, com Ernst Hefliger, Maria Stader e outros (Deutsche Grammophon 435 741)

Beethoven

Sinfonias n.1 a 9, Orquestra de Câmara da Europa, reg.: Nikolaus Harnoncourt (Teldec 2292-46452-2)
Sonatas para piano, solista: Wilhelm Kempff (DG 447 966 2)
Quartetos n.12 a 16, Quarteto Italiano (Philips 426 050-2PM4)

Romantismo

SCHUBERT

Canções, Dietrich Fischer Dieskau com Gerald Moore (piano) (Deutsche Grammophon, 21 CDs, disponíveis separadamente)
Sonatas para piano, solista: Alfred Brendel (Philips 446 923-2; 5 CDs)

CHOPIN

Noturnos, mazurkas, baladas, sonatas etc., solista: Arthur Rubinstein (RCA 60822, 11 CDs)

SCHUMANN:

Estudos sinfônicos, Fantasia op.17, piano: Wilhelm Kempff (DG 447 977-2)
Kreisleriana op.16, piano: Vladimir Horowitz (Sony 42409)
Carnaval, piano: Arturo Benedetti-Michelangeli (DG 423 231 2)

Quinteto para piano e cordas, Quarteto Budapeste com Rudolf Serkin (piano) (Sony 45885)
Cenas infantis (com o Concerto para piano e as Variações Abegg), Clara Haski (Philips 420 851 2)

LISZT

Sonata em si menor, Sonetos de Petrarca e outras obras, piano: Claudio Arrau (Philips 4323052, 5 CDs)

MENDELSSOHN

As cinco sinfonias, Orquestra do Gewandhaus de Leipzig, reg.: Kurt Masur (RCA 74321 20286 2, 3 CDs)

BRAHMS

As quatro sinfonias, Orquestra do Concertgebouw de Amsterdam, reg.: Bernard Haitink (Philips 442 068-2, 4 CDs, incluindo as Aberturas e as Serenatas)
Réquiem alemão, Philarmonia Chorus and Orchestra, reg.: Otto Klemperer, soprano: Elisabeth Schwarzkopf, barítono: Dietrich Fischer-Dieskau (EMI CDC7 47238-2)
Fantasias, intermezzos e outras peças para piano, solista: Wilhelm Kempff, DG 437 249 2)

DVORAK

Sinfonias n.7, 8 e 9, Filarmônica de Berlim, reg.: Rafael Kubelik (DG 4396632)

Impressionismo

Debussy

Prelúdios para piano, livros I e II, solista: Claudio Arrau (Philips 43230042)

Quarteto de cordas, Sonata para violoncelo e piano, Sonata para violino e piano, Quarteto Italiano, reg.: Arthur Grumiaux, solistas: Maurice Gendron, Jean Françaix (Philips,442 655 2)

Noturnos para orquestra, ORTF, reg.: Jean Martinon (EMI CDM7695872)

Pelléas et Mélisande (ópera), Orquestra da Ópera de Montecarlo, reg.: Armin Jordan, Eric Tappy, Rachel Yakar (Erato 2292 45684 2)

Ravel

Quarteto de cordas, Quarteto Italiano (Philips 420 894 2PSL)

Ma mère l'oye, Filarmônica de Berlim, reg.: Pierre Boulez (DG 439 859-2GH)

Daphnis et Chloè, Sinfônica de Chicago, reg.: Daniel Barenboim (Erato 2292 45766-2)

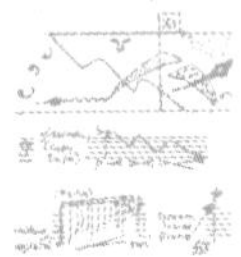

Modernismo

Villa-Lobos

Villa-Lobos par lui-même: Integral das Bachianas, Descobrimento do Brasil, Choros 2, 5, 10 e 11, Orquestra da RTF, reg.: Villa-Lobos (EMI CZS 7672292, 6 CDs)

Integral da obra pianística, solista: Anna Stella Schic (Solstice FY SOCD 87/93, 7 CDs)

STRAVINSKY

Petruchka, Orquestra do Concertgebouw, reg.: Riccardo Chailly (Decca 443 774 2DH)

A sagração da primavera, Sinfônica de Birmingham, reg.: Simon Rattle (EMI CDC7 49636-2)

Concerto Dumbarton Oaks, Sinfonietta de Montreal, reg.: Charles Dutoit (Decca 440 327-2DH)

Sinfonia dos salmos, Orquestra Sinfônica Columbia, reg.: Igor Stravinsky (Sony BRG 72181)

BARTÓK

Concerto para orquestra, Sinfônica de Chicago, reg.: Fritz Reiner (RCA Victor 09026 61504-2)

Música para cordas, percussão e celesta, músicos da Sinfônica de Chicago, reg.: Georg Solti (Decca 430 352-2DH)

SHOSTAKOVICH

Quartetos de cordas, Fitzwilliam Quartet (Decca 433 078-2DM6; 6 CDs)

Sinfonia n.5, Orquestra Nacional da Escócia, reg.: Neeme Jarvi (Chandos CHAN8650)

Concerto para violino n.1, Sinfônica de Londres, solista: Maxim Vengerov, reg.: Mstislav Rostropovich (Teldec 4509 98143-2)

Este livro foi impresso
pela Donnelley Cochrane
Gráfica Editora.